PRECISO RODAR O MUNDO

Michelli Provensi

Preciso rodar o mundo

Aventuras surreais de uma modelo real

Da Boa Prosa

Edição e preparação: Ronaldo Bressane
Lettering especial da capa: Filipe Jardim
Capa e projeto gráfico: Graziela Perez
Foto da capa: Marcio Simnch
Revisão: Letícia Howes
Diagramação: Kathya Nakamura
Impressão: Arvato Bertelsmann

Dados Internacionais de Catalogação na Publicação (CIP)
(Câmara Brasileira do Livro, SP, Brasil)

Provensi, Michelli
Preciso rodar o mundo: aventuras surreais de uma modelo real / Michelli Provensi. – 1. ed. – São Paulo: Editora Da Boa Prosa, 2013.

ISBN 978-85-64684-44-7
1. Memórias autobiográficas 2. Modelo (Pessoas) como profissão
3. Provensi, Michelli I. Título.

13-11318 .... CDD-659.152023

Índices para catálogo sistemático:
1. Modelo como profissão 659.152023
2. Profissão: Modelo 659.152023

Da Boa Prosa
Alguns têm algo a dizer, outros a vontade de saber.
um selo da: livros de Safra
A gente aduba, planta e colhe palavras!

Livros de Safra
tel 55 11 3094-2511
www.livrosdesafra.com.br
Rua Simão Álvares, 663
cep 05417-030 São Paulo - SP

Para meus pais Pierina (em memória) e Luiz,
que desde os tempos de Flor do Sertão
me instigaram a sonhar, e do sonho fazer propósitos.

Para meus irmãos Dulci e Daniel que são meu apoio,
para a amiga Ana Gallet que me ensinou a escrever.

Sem esquecer de brindar aos amigos que fiz pelo mundo
e fizeram minha história acontecer.

Sumário

Única

Michelli é linda, tem uma luz que brilha como uma estrela. Modelo, atriz, inteligente, curiosa, delicada, sensível, nobre, elegante, verdadeira, mágica, princesa, independente, romântica, virtual, rock, esnobe, simples, simpática, iluminada, feminina, andrógina, criança, mulher, feliz, mangá, perfeita. Em 2001 ela foi heroína do meu catálogo gibi, representando o Bem que conquista a vitória com a energia pura, superior e bondade no coração. Em 2002 foi personagem de uma mistura do rei Luiz XV com Gorillaz, banda de rock virtual: lembrava uma pintura exposta no Louvre. Entre 2002 e 2003, Michelli se tornou uma esportista preocupada com a ecologia e a natureza no catálogo *Transformação da Superfície Terrestre*. Em 2003 desfilou no tema *3D de Luxo* com rapidez, encantando a todos que assistiam. Entre 2003 e 2004 se tornou a mais incrível personagem no desfile *Figuras Extraordinárias*. Em 2004 representou o papel da guerreira impecável no desfile *Obsessão por Camuflagem*, entre 2005 e 2006 ficou romântica, maravilhosa e se cobriu de flores no desfile *Jardim Espacial do Céu e Universo*. Em 2006 ela virou uma nerd perfeita, no desfile *Romântico Andrógino Nerd*. Entre 2007 e 2008, virou uma criança vestida com a roupa da mãe; todo mundo acreditou que ela tinha até sardinhas no rosto, maquiado para o desfile *Carnaval Virtual*. Em 2009, quando entrou com o rosto branco de maquiagem, parecia um verdadeiro ET – foi muito boa sua atuação no desfile *O ET Abduziu a Duquesa*. Em 2010, no desfile *Pokémon*, Michelli entrou com um vestido-capa, cheia de energia e beleza como um boneco lendário. Michelli tem a cara dos anos 2000: expressa a beleza misturada com a inteligência, o talento com a sensibilidade. Ela é única.

GLORIA COELHO, estilista

“Gisele Bündchen e Pelé só tem um”

Essa é a resposta do meu pai quando questionam se sua filha já está milionária.

Pergunta frequente na infância: “O que você quer ser quando crescer?”. Entre os meninos, desde os anos 1970, a resposta é o clássico “jogador de futebol”. Entre nós, meninas, por longos períodos houve mudanças: professora, veterinária, bailarina, aeromoça, chacrete... Depois do boom da Gisele – jamais uma modelo brasileira teve tamanho sucesso –, oito entre dez meninas querem ser modelo, manequim e todos os seus afins.

No entanto, essas meninas, e, por consequência, suas famílias, não têm noção de como é a profissão na verdade. É o glamour que impulsiona a atenção dos olhares sonhadores para a carreira de modelo. Já escutei coisas do tipo: “Modelo não deve ser considerada profissão, e sim um hobby. É viver em férias permanentes: elas saem do ar condicionado do hotel para o ar condicionado do carro com motorista – e daí para o ar condicionado do estúdio, onde uma garrafa de champanhe as espera na saída".

Quem sabe isso aconteça para Linda Evangelista, Naomi Campbell e turminha. É como o jogador: os caras ganham para o que a maioria dos meninos quer fazer na hora de folga. Outra bola fora. Estes rótulos são falsos: para a maior parte das modelos e dos jogadores de futebol, a realidade é bem diferente do ar refrigerado.

Uma reportagem da revista *Veja São Paulo* de julho de 2010 diz que aproximadamente 4.000 aspirantes a modelo entram em contato diariamente com as 250 agências espalhadas pela capital paulista. Para os que deram o primeiro passo dentro do sonho, só digo: você não está sonhando sozinho. Só no estado de São Paulo, 162 mil homens e mulheres usam sua aparência para vender os mais diversos produtos e serviços. Vindas de todas as regiões, mocinhas atravessam o país em caravanas de cursos de modelo; a maioria investe uns R$ 2.000 para cobrir custos do curso, do book e do transporte; o acompanhante, em geral a mãe, pode fazer dobrar o preço do investimento. Há casos em que o desejo pelas passarelas nem é da menina, e sim da família, que vê na filha bonita uma chance de mudar de vida. Na última edição do concurso da Ford Models Brasil, o Supermodel Brazil, mais de 750 mil moças se inscreveram. Isso sem contar tantos outros concursos feitos por outras agências, além dos reality shows à caça das novas super tops.

As poucas que entram no mercado se deparam com uma história bem diferente daquela que fantasiaram. Apartamentos de modelos lotados (e olha que nem todas as agências têm esta alternativa de moradia), problemas para manter-se nas medidas exigidas, solidão – e a forte saudade de casa. Para as privilegiadas que começam carreira internacional, as dificuldades se deslocam: língua, cultura, alimentação e concorrência pesada são alguns obstáculos. Nem todos vão para as badaladas cidades do G4 da moda, o chamado circuito Elizabeth Arden: Paris, Londres, Milão e Nova York. O mercado de modelos é cada vez mais explorado em cidades alternativas – Tel Aviv, Taipei, Cidade do México, Kuala Lumpur, Bangkok e Seul agora se agregam ao circuito.

Quem aguentar as trocas de fuso horário e a insegurança do desconhecido no mínimo fatura um troféu joinha... por ter sobrevivido nessas cidades e ter tido a chance e a coragem de sair para o mundo. Como em um jogo repetitivo, ao se deparar no vazio das expectativas do sonho, a maioria, depois de um tempo desiste e toma o rumo de volta para casa.

*

Os mundos da moda e do futebol parecem divergir; porém, peças fundamentais nestes universos, a modelo e o jogador se assemelham em vários pontos. No futebol não existe uma fórmula certa para identificar o futuro craque. Não basta só técnica ou inteligência, tampouco condicionamento físico;

tem que ter uma poção mágica, além de contar com a sorte de estar na hora certa e no lugar certo e ainda cair no gosto de alguém importante que o coloque na cara do gol – no caso, de um contrato.

O futebol tem um espaço grande na mídia, bem maior do que a moda. Fico impressionada com o valor das transações de alguns jogadores, como a do português Cristiano Ronaldo, vendido para o Real Madrid em 2009 pelo equivalente a R$ 255 milhões. Dá para pagar o cachê de todas as modelos que desfilam no G4, contando as top models, e ainda sobra. No Brasil, menos de 10% dos jogadores ganham mais de três salários mínimos por mês. O estado de São Paulo, centro do futebol brasileiro, tem hoje quatro divisões, com 20 times cada. Dá muita troca de passe: 80 times x 30 jogadores = 2.400 futebolistas profissionais. Sem esquecer que todos os times têm categoria de base (os new faces) com três categorias. Multiplicando-se nossos 2.400 por 3, temos 7.200 jogadores em São Paulo – por aí temos ideia do tamanho da concorrência. Talvez nem o casting do Marc Jacobs seja tão concorrido. Mas quantos nomes estão na boca da torcida, não só do seu time, mas do Brasil inteiro? Uns 15 ou 20 talvez?

*

Conversando com Paulo André, zagueiro do Corinthians, um ano mais velho que eu, percebi que ele tinha os mesmos anseios que eu em relação a mudar algumas coisas na nossa profissão, e principalmente mostrar suas carências, além da revolta quando rotulam jogador de futebol como burro e fútil. No começo da sua carreira, a maioria dos meninos com quem ele jogou e conviveu, nos alojamentos onde morou por quase seis anos, hoje trabalha em profissões bem diferentes dos sonhos infantis: são taxistas, pedreiros, caixas de supermercado, açougueiros... raríssimos conseguiram se profissionalizar. Poucos estudam (apesar de ser obrigação nos clubes), alguns cursaram escola pública à noite. Muitas viagens, jogos e dedicação diária para que os treinos dêem resultados, e tudo isso adicionado ao cansaço físico, impedem um bom desempenho na escola.

Quando os jogadores vão para o exterior (o Brasil exporta em média 800 jogadores por ano) se deparam com cultura e vida completamente diferentes. Assim como acontece com as modelos, nem todo mundo vai jogar na Itália, França, Inglaterra e Espanha: os destinos são variados como Malásia, Emirados Árabes, Filipinas... Meu pai, sócio-fundador do Penãrol de Flor do Sertão (SC), contou-me que um vizinho nosso de infância hoje é goleiro em um pequeno clube em Cabo Verde.

Muitos se adaptam e têm uma carreira vitoriosa. Outros não se adaptam à língua, ao clima e à cultura; um dia jogando sob o sol ardido do Qatar, no outro treinando a 10 graus negativos na Rússia – sem poder se esquentar com um shot de vodca entre um escanteio ou outro. Quando quem telefona mais é a saudade e a fome só grita feijão com arroz, acaba-se voltando ao Brasil sem glórias. Há também os que viram astros e ganham milhões – mas, mesmo assim, anos depois acabam no ostracismo, porque não tiveram estrutura para um novo tipo de vida.

Acredito que os sonhos movem e dão gosto à vida. O pior sentimento é a frustração de não ter tentado – e esta vai incomodar até no além-túmulo, pode crer. Temos aquela inveja que coça, insinuando que você poderia estar em outro lugar, mas deixou a chance ir embora. Não dá para ter medo da complexidade do caminho nem se basear a fundo nas experiências dos outros. Vai encarar a estrada de salto alto ou chuteira?

O buraco que minha mãe deixou

2000. Eu olhava fixo para a cova enquanto baixavam o caixão e cantavam: "Segura na mão de Deus/ segura na mão de Deus/ segura na mão de Deus/ e vai...". O silêncio foi invadido pelos gritos do choro da minha nonna. Cutuquei meu pai e falei no seu ouvido: "Dá para cantar 'Com minha mãe estarei'?". E todos cantaram: "No céu/ no céu/ com minha mãe estarei..." Olhando fixamente para o caixão, pensava: o que vou fazer nesta cidade?

No dia seguinte ao enterro, sem pensar em consequências, peguei carona com meu tio Biazi, irmão mais novo de minha mãe, que trabalhava de manobrista numa churrascaria em São Paulo, e nunca mais voltei a morar em Maravilha.

Eu tinha 15 então. Seis anos depois de minha saída de casa, me sentiria como uma navegadora que descobriu o novo mundo. Dois passaportes cheios e muitas malas quebradas (além da cara, algumas vezes), estava feliz por ter ousado nos meus sonhos. Mas um dia levei um susto. Em um jantar de confraternização da minha agência, uma booker pegou na minha mão, me olhou nos olhos e com certa pena desabafou: "Como gostaria que você tivesse dado certo..." Só aí me liguei: que estranho, então não dei certo! O que seria "dar certo"?

O buraco que minha mãe deixou às vezes me visita.

Nada de peito, nada de bunda

A curiosidade de conhecer novas pessoas e outras culturas sempre me acompanhou. Desde pequena dizia para meu pai que queria morar fora. Ele zoava: "Atravessa a fronteira, filha, que tu vai pra Argentina!". Ir de Maravilha à Argentina é um pulo, tipo ir de São Paulo a Santos. Mas Argentina e Paraguai não estavam na minha lista. Queria ver aquele mar azul da cor dos olhos do meu nonno Domingos em que um elefante mergulhava para trocar amendoins por Coca-Cola – imagem de uma propaganda que me prendia a atenção na infância. Queria escutar outras sonoridades em vez do portunhol e dos dialetos quebrados dos imigrantes italianos e alemães do oeste catarinense.

Como sair para o mundo?

Estudei em escola pública, de onde, em 1999, saí chorando de alegria e desespero: tinha passado para o ensino médio sem ter aprendido a dividir. Mesmo sendo filha de professores, seria difícil entrar em uma universidade pública com minha carência nas Exatas. Teria de usar a criatividade para alcançar meus objetivos até então confusos, ou descer números e equações goela abaixo. Só pensava em morar em alguma cidade que tivesse muitos cinemas: Maravilha não tinha nenhum – o mais próximo ficava a 80 quilômetros.

A vontade de viajar refletia-se na minha ambição. Pensava em ser astronauta: queria ser a primeira menina a pular corda na Lua. Minha cruel professora de matemática jogou meu sonho de cosmonauta na batedeira: eu nunca poderia ser astronauta porque não sabia nada de números.

Ainda podia estacionar aviões. Trabalhar em aeroporto seria o primeiro passo para uma viagem: olhar as pessoas sem saber se vêm ou vão, fazer parte da partida ou da chegada. Me impressionavam os balizadores, aqueles "homens-lagosta": pequenos, balançando seu sinalizador, guiando um pássaro gigantesco – achava o máximo aqueles fones gigantes de ouvido laranja: trabalhar escutando música o dia todo devia ser tão legal. Desisti de ser mulher-lagosta quando descobri que os tais fones são meros protetores auriculares.

Na escola era motivo de chacota no recreio e recebia alcunhas do tipo "vara de cutucar estrela", "pau de medir açude", "tábua de passar". E as piadinhas: "Cuidado pra não voar com o vento, coloca umas pedras no bolso"; "A Michelli é nadadora: nada de peito, nada de bunda". Minha autoestima batia no rodapé. Pensava que para ser modelo teria que ser malhada, bronzeada, peituda, com dentes perfeitos como as misses na TV. Uma cicatriz no joelho esquerdo me dava a certeza de que seria descartada de qualquer oportunidade no universo da beleza.

A maioria das modelos com que converso hoje lembram que nos tempos de escola também não se encaixavam no estilo de menina popular: eram as que dançavam com a vassoura nas festinhas de matinê, as que ganharam o apelido de Olívia Palito. Poucas meninas chegam às agências radiantes de confiança.

Felizmente os outros conseguem ver aquilo que para nós está escondido. Nem precisei ir longe: as primeiras pessoas que descobriram que eu levaria jeito para as passarelas foram minha irmã Dulci e amiga Dayanne Krauspenhar. Numa tarde, sentadas na escada da casa da Day, à sombra de uma araucária, minha irmã folheava uma revista que falava de Gisele Bündchen como a cereja no alto do bolo fashion. Não que eu tivesse algo semelhante à übertop, mas a descrição do começo da sua carreira, levando muitos nãos por ser tachada de esquisita, chamou a atenção da minha irmã. Dulci me olhou como se tivesse descoberto a cura do câncer e cutucou nossa vizinha. Naquela escada as duas começaram a plantar minhocas modeletes na minha cabeça e passei a enxergar possíveis degraus.

A casa caiu

Eu tinha certeza de que quem ria muito jamais teria um câncer. Todo domingo meu irmão e eu ficávamos colados no rádio para escutar nossa mãe, que cantava como tenor no coral da igreja no "Glória aleluia"; até o papagaio da vizinha da esquerda da rua imitava seu riso. Na dor da busca da cura, ela me disse: "Dei muitas risadas na vida; faltou chorar as tristezas também". Com os olhos na vida da mãe, aprendi que o epicentro da dor um dia jorra suas lavas.

Quando meu pai estava na estrada, me refugiava à noite na cama com minha mãe: dava uma desculpa – o escuro, as trovoadas. Acordei numa noite em que ela passava muito mal. Chamei meu irmão Daniel e a levamos correndo para o hospital, onde o médico deduziu que ela havia tido um pequeno derrame.

Meu pai voltou de viagem e mal teve tempo de descalçar os sapatos: levou a mãe para Chapecó, cidade próxima a

Maravilha com melhores recursos médicos, e lá ela foi diagnosticada com um tumor cerebral.

A casa caiu numa terça à noite. Desesperada, tentando tapar o buraco da angústia, comi quatro pratadas de uma sopa de capeletti preparada pela tia Loidi. Um filme classificado como drama passava na cabeça: o medo do porvir. Ou minha mãe viveria três semanas com qualidade de vida ou encararia uma cirurgia de altíssimo risco.

Lá estava ela no alto da escada, com uma blusa preta de lã bordada e um batom rosa fúcsia. Seria a última vez que eu a veria de pé, com suas próprias forças e belas feições. No 1º de maio de 2000, meu pai a levou a Florianópolis para uma consulta com o cirurgião. O nome de Pierina foi para a lista de espera; dia 13 retornou à capital para a retirada do tumor.

Fiquei três meses sozinha com meu irmão em casa. Além do sofrimento de minha mãe, estava arrasada com a morte em sequência dos meus seis gatos por uma peste desconhecida; todo dia amanhecia com um gatinho se debatendo na porta até morrer. Cresci rodeada de felinos, cheguei a ter 13 de uma vez... ver os pelos e miados sumirem de casa me emudecia.

Meu irmão, que me usava de alvo para treinar golpes de taekwondo, trabalhava prestando assistência técnica para computadores e ganhava um salário suficiente para seu divertimento. Toda cumplicidade que tínhamos quando crianças – descendo o morro de casa sobre carrinhos de rolimã, e o potreiro dos padres sobre caixas de geladeira – sumiu na adolescência. À noite, nos meses em que ficamos sozinhos, ele pedia um x-salada no Disk-lanches, enquanto eu me alimentava com biscoitos e com as visitas na hora do jantar à minha professora da terceira série, Rita de Cássia. X-salada era o que tinha de mais apetitoso nas lanchonetes de Maravilha; com muita vontade de comer um, certa noite pedi um pedaço a meu irmão, que respondeu de boca cheia: "Quando tu trabalhar, tu compra pra ti!". Com raiva, gritei: "Saiba que um dia vou ter dinheiro pra comprar mil x-saladas e não vou te dar!". Anos mais tarde relembrei a história, e Daniel, sentido, me pagou um lanche no aeroporto. Agora ele sempre me convida para comer x-salada, beirute, pão de queijo, pizza, coxinha...

Após a retirada do tumor, minha mãe Pierina ficou uma semana na UTI e depois se tratou algum tempo no Hospital de Caridade em Florianópolis. Queria muito ir vê-la, mas meu pai não deixava, alegando que não tinha dinheiro para ir até a capital. Mentira, sabia. Ele não previa como eu reagiria ao vê-la tão debilitada com aquela cicatriz imensa na cabeça raspada, da testa à orelha esquerda.

Nesta mesma época minha irmã ligou dizendo para comprar o jornal *Diário Catarinense*, onde tinha visto um anúncio sobre um concurso de modelo. Gostei da ideia, mais pelo fato de as eliminatórias serem em Florianópolis: assim, poderia ver minha mãe. Para participar, era necessário mandar uma foto de rosto e outra de corpo. Com a cabeça na saúde da minha mãe, meu pai não entendeu bem nem questionou minha vontade:

mandou-me à Foto Zanotto, onde conseguia pagar a foto fiado. A fotógrafa Simone me rodopiou por várias posições até achar um enquadramento bonito para meus braços muito compridos.

Mandei os retratos e esqueci. Até que em um inesperado dia me ligaram: tinha passado pela seleção e a etapa seguinte seria em agosto, na boate Lupus, em Florianópolis. O concurso pagou a passagem, e, sem sonhar muito, fui participar do Marilyn Model's College. Fiquei entre as oito finalistas e fui para a etapa final. Neste meio tempo minha mãe já tinha voltado para Maravilha.

O primeiro campeonato

Em novembro, eu, meu pai e minha melhor amiga, Mariqueli Salete Bonafim, fomos de carro até Florianópolis. A finalíssima do concurso acontecia na boate Café Cancun, lotada; o público estranho me intimidava.

Comecei desfilando com a roupinha do concurso – uma camisetinha mostrando o abdômen e uma saia rosa –, seguido de um minidesfile pela Einstein Jeans. Após a segunda entrada, com o pulmão preenchido de ar pelo dever cumprido, já começava a colocar a roupa para ir embora, ignorando o uniforme branco e rosa: só as ganhadoras entrariam de novo na passarela. Ao notar meu afastamento, uma das organizadoras gritou para que eu colocasse de novo a roupa do concurso. O apresentador chamou de volta à passarela a ganhadora do terceiro lugar: Juliana Didone, hoje uma talentosa atriz global. Quando chamaram o segundo lugar, eu estava sentada abraçada nos meus joelhos na escada do fundo. Meu nome ecoou num "Michelliiiiii" esticado; ganhei um monte de cutucões e sorrisinhos. Quando já jurava estar fora de jogo marcava meu primeiro gol. Se fosse um jogo de futebol, não teria a mesma ovação da torcida. No gramado, ninguém se orgulha de dizer que foi vice. Na passarela, o segundo lugar me rendeu uma porta, uma janela e um jardim para uma nova vida. Juliana, a terceira, virou campeã do horário nobre; já da vencedora, uma menina chamada Gisele que desde a seleção era apontada como possível vencedora, nunca mais tive notícias.

Fiquei entorpecida pelos aplausos e sorrisos estranhos – só queria um telefone para ligar para minha mãe. Imaginava sua felicidade em saber que a filha tinha ganhado algo num palco. O sonho de Pierina sempre foi ter um filho artista; eu estava longe de ser uma Liza Minnelli ou Maria Bethânia, mas foi nela que pensei quando peguei minha carteira de trabalho. Lá estava: profissão artista! A função é manequim, mas o artista está registrado.

Ganhei um contrato com a extinta agência Marilyn Brasil e um book fotográfico profissional. Dois dias depois do concurso tive meu primeiro casting internacional. Coloquei um biquíni liso, sapatos de salto alto, entrei numa salinha e fui apresentada para Gilson e Akemi, sua esposa japonesa, que falava português com sotaque de Porto Alegre. Mediu-me o quadril e a altura e sinalizou para Gilson, que disse: "Mas bah, guria, ela gostou muito de ti, vai querer te levar para o Japão". Falou como se o Japão fosse Concórdia ou Erval Velho. Na mesma tarde liguei para falar com minha mãe que, feliz, disse que se curaria para viajar comigo a Tóquio e ver as cerejeiras florirem.

Em dezembro fui convidada para uma festa na casa do francês dono da agência, Michel Vinal, na badalada praia de Jurerê Internacional, em Florianópolis. (Oito anos mais tarde, Michel viria a dar um golpe na agência, vazando do país com outro nome...) Quando vi dois seguranças na porta, pensei: muito chique mesmo – era a primeira vez na vida que eu via um segurança. No caminho para casa, com outras modelos, escutei as meninas contarem histórias da rotina de modelo sobre um certo Zeca, diretor da agência em São Paulo: "O Zeca é duro, pega no pé". Na minha imaginação surgiu um carrasco chato. Fui apresentada para alguns simpáticos bookers (pessoal responsável em nos apresentar aos clientes e cuidar dos trabalhos), que falaram sobre minha vida em São Paulo; aterrissei curiosidades e expectativas naquelas palavras.

Sentei-me a uma mesa com modelos locais e só abria a boca para bocejar e sorrir – no meu conto de fadas, era eu que viraria abóbora às 10 da noite. Como um mago, ele surgiu: cavanhaque, olhar profundo, camisa de polo preta e anéis grandes na mão (no indicador, um anel notável, parecia uma tela de TV de plasma). Tomando o lugar vago na mesa, sentou-se ao meu lado sem pedir licença e começou a disparar um arsenal de perguntas entre abocanhadas em um sushi e um sashimi de ceviche. Ofereceu-me ostras, as quais recusei, por não ter a mínima ideia de como se comia. Didático, o senhor dos anéis me explicou o processo da degustação de frutos do mar. Do nada caí na gargalhada: ele me lembrava o Leôncio, personagem do desenho Pica-Pau. De surpresa, ele enfiou um sushi na minha boca. Enquanto o sushi me descia seco, ele ria da minha cara de desespero: "Larilará, perua, colona não sabe comer peixe!". Assim conheci o famoso e sábio Zeca de Abreu, primeiro agente da Gisele Bündchen, meu fiel conselheiro por longos anos.

Duas semanas depois peguei um ônibus e fui com minha irmã para São Paulo. Na rodoviária do Tietê, o motorista da agência, Mauricio, nos esperava em uma van branca – sem cartaz algum nem ter visto foto minha antes, ele era craque em reconhecer o olhar perdido de uma jovem modelo. Até hoje ri: "A Michelli quando chegou em São Paulo viu o primeiro semáforo e perguntou se eram luzinhas de Natal". Eu estava era assustada por pensar que São Paulo inteira seria como os horríveis arredores do Terminal do Tietê – até então, minha única referência da cidade era o bairro do Limão, onde viviam os personagens do gibi da Turma da Mônica.

Sábado pela manhã fomos direto à agência, que já fechava por causa das festas. Zeca me deu o endereço para o ensaio fotográfico à tarde. No sofá, minha irmã me apontava ao lado a então modelo Aline Moraes – que fazia sucesso em um comercial de pudim.

No apartamento do fotógrafo Marcio Del Nero em Higienópolis, com o maquiador Junior e o stylist Rodrigo Grunfeld, dei meu primeiro passinho no mundo da moda. Em minha foto de estreia, cruzei os braços e fiz olhar de Mona Lisa.

De volta a Maravilha para o Natal, uma hora antes da ceia, meu pai disse: "Este é o último Natal que passaremos com a mãe. Vamos tentar emanar alegria. Então, não brigue com a nonna, para evitar que a ceia fique pior ainda". Foi um mergulho em um açude gelado. Como encarar minha mãe fazendo planos para viajar comigo sabendo que logo ela partiria para sua última viagem?

A bola fora do titio

Passei a festa da virada do milênio em Florianópolis, na casa dos tios Ivo e Ana, junto com a cantora paraguaia Perla, famosa nos anos 70 pelo hit "Fernando" – imaginava que se cortasse e vendesse seu enorme cabelo negro conseguiria uma passagem de avião para São Paulo. Mas antes de me mudar teria coisas a resolver em Maravilha.

Aconchegante e tranquila cidade do extremo oeste catarinense, para os lados da Argentina, Maravilha é rodeada por cidades de nomes charmosos: Flor do Sertão, Modelo, Saudades, Riqueza, Palmitos, Descanso, Tigrinhos... Diz-se que é a Capital das Crianças. De fato não deve existir melhor lugar no mundo para se passar a infância: brinquei livre pelas ruas, me apresentando com o grupo de patinação Maravilhas Sobre Rodas, contando segredos para meu pé de jacarandá-da-bahia.

Em 10 de janeiro de 2000, fui chamada a voltar a São Paulo para castings. Quando recebi a notícia, a casa estava cheia, parentes de todos os lados, ex-alunos, ex-colegas, ex-vizinhos da minha mãe, um entra e sai de visitas. Meu tio Paulo, um dos seis irmãos de minha mãe, me chamou para conversar longe da comoção das visitas. Ao lado de casa, ficava a plantação de taquaras do meu pai. Minha mãe reclamava que as taquaras faziam muita sujeira. Dona Pierina pedia para varrer o pátio três vezes; no fim da tarde, sentada à sombra do taquaral, agradecia o frescor e esquecia a trabalheira. Meu tio foi direto:

— Michi, filha querida, você não enxerga a situação em que teu pai está? Ele não vai poder te ajudar. Estão te enganando! Você é feia, vai para São Paulo fazer o quê? Virar prostituta?

Chamei meu pai. Quando ouviu meu tio, desabafou em um tom raivoso, que nunca tinha escutado antes:

— Não quero filho meu dizendo que não dei oportunidade. Ela vai com meu apoio para São Paulo para quebrar a cara ou ser feliz. E essa decisão não é só minha — disse, mostrando a autorização que minha mãe, destra, tinha assinado com a mão esquerda, já que, em decorrência da operação, seu lado direito do corpo estava paralisado.

Hoje meu tio Paulo é íntimo da Lilian Pacce de tanto assistir ao programa *GNT Fashion* para me ver nos desfiles. No fundo, ele não me achava feia. É que não conhecia a palavra que, dali para frente, me descreveria: "exótica".

Cartão vermelho pro maquiador

Final de janeiro de 2000 ("sabe aquele ano do boom?"), voltei sozinha para São Paulo no início da semana de castings para o São Paulo Fashion Week – que recém abandonara o nome MorumbiFashion. Como não tinha material nem experiência, a agência não me apresentou aos clientes. Aulas de passarela são fundamentais à nova modelo; andar bem e de forma natural não é tão fácil assim – e, por incrível que pareça, meu melhor professor foi um homem. Com direito a saltos e danças, eu e as outras meninas nos divertíamos nas aulas de Dinho Batista nos fundos da agência, tentando ser naturais, criando um estilo próprio que pudesse nos diferenciar umas das outras. Enquanto eu não ficava craque nas desfiladas e paradinhas, me mandavam fazer mais fotos para o book. A modelo tem que ter fotos com estilos diferentes no portfólio para o cliente perceber o quão versátil ela é – mas nem todos os ensaios rendem fotos boas.

No segundo ensaio, com o fotógrafo Felipe Lessa, tive uma desconfortável experiência com o maquiador, que tentou me mostrar de modo inusitado como é dolorido ficar bonita. Primeiro reclamava das espinhas em minha testa adolescente. "Querida, vou ter que jogar fora minha esponjinha, porque você deixou um sebo, já tá toda cagada!". Depois, o curvex: "Me fala se estiver doendo?". Eu: "Ai ai, tá doendo, tá pegando no cantinho do olho!". Ele: "Que bom! Sinal que está curvando bem!". Meus olhos se enchiam de lágrimas, mas o grand finale estava por vir. Depois de aplicar o batom com o pincel, automaticamente, como minha mãe, minha irmã e 70% das mulheres que eu conhecia faziam, apertei bem os lábios para misturar o batom. Do nada, tomei um tabefe na cara – e não foi de novela. Em choque, pensei: "Será que é normal maquiador bater em modelo?". Veio a bicha má: "Querida, nunca ninguém te ensinou que não se mistura o batom? O profissional fica horas tentando arrumar esta sua boca torta pra você misturar e cagar tudo!". Felizmente nunca mais encontrei esse maquiador – no máximo encarei um maquiador com a mão pesada ou com o famoso bafinho matinal.

O samba da belga

"Posar para um fotógrafo é como interpretar um personagem, só que sem fala e movimento. É buscar a leveza, sentir a roupa e o desejo do fotógrafo e do cliente e lembrar que cada pequeno detalhe, do olhar à posição do dedinho, tem enorme importância na fotografia."

CAROL RIBEIRO, top model e apresentadora

De janeiro a março de 2001 fui e voltei da capital paulista cinco vezes: 120 horas de ônibus. Muitos castings, apontamentos e idas à Galeria do Rock para montar o "look modelo", com camisetinhas de banda e cintos de tachinha. Cheguei na era da transição do brasileirismo com curvas para as belgas andróginas, lideradas pela modelo exótica que eu mais admirava: Hannelore Knuts.

Na época tive um encontro marcante com a polaroide. O fotógrafo Cristiano Madureira tirou minha primeira. Fiquei maravilhada ao ver minha silhueta surgir como um fantasma entre um chacoalhar e outro de papel. Peguei meu primeiro trabalho da "série A" da moda brasileira, na saudosa revista do shopping Iguatemi, *Avantgarde*, fotografada por Gui Paganini, com a dupla de stylists Flavia Pommianosky e Davi Ramos, e a então editora da *Vogue Brasil*, Patrícia Carta. Na terceira foto, Patrícia teve uma crise de impaciência e me mandou um papo reto: "Não precisa ficar parada como um poste". De fato, não dá para esperar que a modelo se mexa como a Carol Ribeiro na primeira foto. A própria Carol foi o exemplo usado por meu booker Anderson Baumgartner no meu começo de carreira: aos poucos, percebia que aprendia a me colocar em frente às câmeras quando alguém dizia "é quase uma Carol Ribeiro".

No início não entendemos nada de luz, dos nossos melhores ângulos, que cada câmera e lente tem seu momento de exposição, que caso você se movimente antes do tempo a foto pode ficar sem foco ou tremida. Não nos dizem o estilo de cada fotógrafo ou como entrar na viagem que ele forma na cabeça. Franzimos a testa demais, choramos com a luz do meio-dia, não relaxamos os lábios sem ficar com cara de espanto. Somos borracha nova, inflexíveis sem o manuseio do outro. Como mudar delicadamente o eixo do quadril sem mover a pose toda? Por caridade, alguém avise que estilista não gosta que cruzem os braços na fila de entrada do desfile, ou que fiquemos sassaricando – porque amassa a roupa. No final do dia, temos vergonha de pedir para parar a foto para comer ou simplesmente ir ao banheiro...

Uma boa parte dos profissionais envolvidos no processo de criação, fotógrafos, stylists e produtores, não é paciente ao direcionar uma nova modelo. Fotografar é se descobrir em mil possibilidades, é externar mulheres, épocas, bichos e paisagens em um piscar de olhos – e isso não se aprende rápido, muito menos sozinho.

Primeira e última vez

Na primeira semana de março, meu pai me liga:

— Volta pra casa, a mãe não aguenta muito mais.

Era tanta coisa para absorver em São Paulo que minhas angústias se encobriam por uma névoa. Pacificava-me aquela distância dos problemas de casa. Depois do telefonema do pai, calcei meu All Star velho, vesti uma camiseta do Iron Maiden e desci a pé a Rebouças até a agência para comunicar que ia a Maravilha sem saber se voltaria. Meu booker Anderson, com um olhar como se lamentasse "mais uma que não aguenta de saudades do fogão da família", disse:

— Mi, você esta tendo boas respostas. Não volta para casa agora. — Reação natural: muitos meninos e meninas desistem de modelar todo ano; as agências sempre temem perder uma futura estrela para a tal "saudade de casa".

— Mas minha mãe está pra morrer, não posso ficar — argumentei. Vendo que a situação era séria, e não como a de muitas meninas – que inventam que a vó está nas últimas para visitar o namorado no sul –, ele pediu desculpas.

— Fica com a tua família. A gente te espera.

*

A loja de doces do japonês da Teodoro tirou um tempo da minha atenção pré-terminal rodoviário: pirulitos, pacotes de bolachas e Cebolitos. A viagem seria longa; as pilhas do meu discman e o CD do Nirvana não dariam conta de meus pensamentos nas curvas da Régis Bittencourt. Na primeira parada comprei um pastel bem gorduroso, abracei o travesseiro e chorei até o sul.

Após uma semana em coma no hospital, Pierina acordou falante, querendo ver todo mundo. Meu pai, por já ter tido experiência de lidar com a morte de próximos, me explicou que em geral nessas melhoras súbitas o enfermo volta para se despedir. Fui a última a conversar com Pierina antes que entrasse novamente em coma. Ela disse um tímido "eu te amo". Foi a primeira e última vez que ela me disse isso. Meu pai, meu irmão, minha irmã e eu nos demos as mãos em volta do leito prometendo respeitar e cuidar um do outro, e, quando nossos caminhos permitissem, construir a sua sonhada "Creche Tia Pepê".

Oito de março, seis da manhã, telefono para meu irmão dizendo que me dispunha a ficar mais um turno de vigília. Minha irmã ligou a TV que naquele momento anunciava o falecimento do ex-governador paulista Mario Covas. Então a enfermeira indicou as pontas dos dedos de minha mãe, que ficavam na cor púrpura: "Chama teu pai: tua mãe está partindo". Eu só me perguntava por que as pessoas têm vergonha de falar de amor.

Festa no apê

2001. Imagine abrir a geladeira e ver oito caixas de leite desnatado, oito potes de requeijão light, oito bandejas de queijo branco. Tudo etiquetado com o nome da dona. Na minha primeira experiência em um apartamento de modelos, éramos oito meninas divididas em quatro quartos, cada uma pagando R$ 800 por mês (tendo oito ou duas meninas, o valor era o mesmo), adiantados pela agência; assim que a modelo trabalhasse, ao entrar algum cachê, o aluguel seria debitado. Embora nem tão barata, a opção do apartamento de modelo é a mais conveniente quando não se tem onde ficar na nova cidade.

E pode ser bem divertido. Cada uma com sua história, suas desconfianças e expectativas no mundo da moda, vindas na maioria das vezes de algum lugar pequeno e desconhecido, com costumes e sotaques particulares. No fim do dia, todo mundo se entendia sob a mesma palavra: sobrevivência. Passados dois meses no apê da agência comecei a achar que, se continuasse ali, nunca sentiria a textura do dinheiro em minhas delicadas mãos. Conversei com outras meninas e partimos à procura de um apartamento. Depois de muitas caminhadas pela Vila Madalena e alguns problemas com a história de fiador, alugamos um apartamento na rua Deputado Lacerda Franco, em frente ao 14º distrito de polícia. Quarto, sala, cozinha e estreito banheiro seriam divididos por cinco meninas: quatro paranaenses, Manu e sua irmã Isabel Zachow, de Santa Terezinha do Itaipu, Lílian Kreutz, de Missal, a sósia da Sophia Loren, Carol Manfrin, de Arapongas, e eu. Nas primeiras noites, só eu tinha um colchonete; as paranaenses deitavam encolhidas sobre edredons dobrados, até o dia em que encontraram na rua Teodoro Sampaio um colchão a R$ 25. As espinhas dorsais delas devem lembrar até hoje daquela espuma. Nada mais: sem qualquer eletrodoméstico ou conforto, sonhadoras dia e noite, com a vista de um horizonte poluído onde se via uma rota de aviões e um confuso Largo da Batata em obras.

Faltavam muitas coisas, mas ninguém ficava de beiço triste. Cada vez que comprávamos o leite no súper, corríamos pra casa para dar tempo de bebê-lo ainda geladinho. Tudo tinha que ser consumido no dia: demoraria meses até comprarmos geladeira e fogão. Esperávamos até às 6 da tarde para ligar na pizzaria Mamma Gemma, que tinha uma promoção de pizza de calabresa por R$ 6. Depois de dez comprovantes de compra ainda ganhávamos outra pizza. Hoje, se vejo uma calabresa, uma azeitona e uma cebola juntas, tenho um treco.

Teve festa no apê o dia em que o pai da Carol Manfrin, dono de uma fábrica de móveis, resolveu nos doar dois beliches, a cozinha e uma estante. Cada uma trouxe uma panela e alguns talheres do sul; copos e taças a gente levava discretamente pra casa, ao sair bebendo dos coquetéis depois dos desfiles. Assim montamos nosso lar. Nosso "apertamento" era pior que coração de mãe de orfanato: sempre cabia mais alguém – e este alguém tinha em média 1,80m de altura. "Vou ficar três semanas em Sampa", "Ah, fica com a gente", "Cheguei de Tóquio e não sei para aonde vou", "Ah, fica com a gente!". Teve épocas que chegamos a ser sete. Hóspede marcante, talvez por ser o único menino, foi o gaúcho magrelo Thiago Mann. O guri comia meio saco de pão com maionese e logo depois sentava na ponta do colchão para fazer abdominais. A agência reclamava da sua barriguinha saliente que se destacava de seu corpo franzino e ele julgava ser falta da prática de exercícios, e não do diário meio saco de pão com maionese. Logo nos primeiros meses Thiago foi para Nova York, onde fotografou para a campanha da Dior com o lendário Richard Avedon. O menino de Santo Ângelo não soltava nem um "hi" em inglês: entrava no táxi e apontava para frente dizendo "Rétow, rétow".

No apartamento da agência era proibido sair à noite. A Marilyn tinha fama de ser a agência mais durona, e com razão: a maioria era menor de idade e os pais depositavam uma confiança enorme no Zeca. Fora do apartamento, a liberdade era pelo rastro dos nossos pés; a responsabilidade aflorava de acordo com a educação de cada uma.

Tirando a Carol, éramos todas roqueirinhas. A parede da sala do nosso novo apartamento começou a ser coberta por pôsteres de bandas que herdamos do gosto musical dos mais velhos. Depois de uma noite de tédio sozinha, comecei a desenhar nos muros da sala o Eddie, boneco mascote da banda de heavy metal Iron Maiden. As meninas ficaram perplexas, mas curtiram a ideia. A parede virou um painel de sentimentos rabiscados; todo mundo que nos visitava escrevia algo em suvenir.

Nosso maior anseio era completar 18 anos – não para beber, mas para poder entrar no Morrison, bar de rock que ficava na rua Inácio Pereira da Rocha, ali perto. Uma noite, depois de muito insistir, o segurança nos deixou entrar para visitar o bar antes que abrisse; olhávamos aquelas guitarras na parede como se o Jimi Hendrix tivesse acabado de pendurá-las. Quando os 18 finalmente chegavam, a primeira coisa a fazer era tomar um drink no Morrison.

Tínhamos uma atenção fraternal de algumas pessoas na agência. O booker Anderson e seu irmão Fabio (que começou como assistente da mesa de bookers e nove anos depois estaria fotografando capas de *Vogue*, *Elle*, *Harper's Bazaar*), nos levavam ao cinema, ao Hopi Hari, ao karaokê, davam carona para ir pro sul (uma vez fomos em seis mais uma cadela labrador num Corsa), nos visitavam, e, para nossa alegria, pediam pizza! Na presença deles, nosso apetite se mostrava light: comíamos só um pedaço, devagarzinho... quando iam embora, devorávamos o que sobrava. Eram amigos, mas continuavam nossos bookers – e virava e mexia uma de nós tinha que emagrecer.

O Zeca era muito presente com seus conselhos: "Focus, bitcho! Foco na carreira! Be cool! Be happy! Be sexy! Cuidado com as biritas! Álcool incha! Dá para perder mais 3 quilinhos, convida a colega e vai caminhar no Ibira!". Todo mundo tinha medo do Zeca: ele era aquele preparador físico pegando no pé 24 horas. Em retribuição aos inúmeros jantares que nos oferecia, Isabel, a mais dotada na cozinha, fazia uma macarronada pra ele. Gulosas e espertas, nos servíamos duas pratadas comendo e rindo antes que ele chegasse; depois lavávamos os pratos, colocando o serviço de volta à mesa. Quando Zeca chegava, comíamos de novo degustando bem devagar uma porção pequenina; orgulhoso, ele exclamava: "Gostei de ver, peruas! Colonas comendo bem pouquinho, parecem francesas!".

Não sabe brincar, não desce pro play

Se a vida não te empurrar para o suor, até os 16 anos dá para ser criança. Mas em 2001 ainda não existia o acordo que menor de 16 não podia desfilar nas passarelas brasileiras. Os castings sempre apresentavam algumas meninas de 13 anos. Uma de minhas amigas do grupo de exóticas na época, Eliana Weirich, magricelinha com sardas e nariz lindo, grande e imponente, foi para Nova York sozinha com apenas 13 anos. Sem falar inglês, nem deu tempo para ficar no banco do jogo. Foi escalada para fotografar a campanha do estilista Narciso Rodriguez, ao lado da ícone top model Kate Moss – que ela não fazia ideia de quem fosse. Como todos os modelos que aterrissam em mercado novo, Eliana decorou o mapa de Manhattan correndo de downtown a uptown, fazendo 20 apontamentos por dia. Com um editorial da revista *Dutch* no book, inspirado no desfile noir de Victor and Rolf, foi confirmada para os desfiles de Marc Jacobs, DKNY, Jill Stuart, Anna Sui entre outros. Aí veio a tragédia de 11 de setembro. As torres caíram e a maioria dos desfiles em que Eliana estaria no casting foram cancelados.

Como ainda não tinha viajado para fora do Brasa (a modelada chamava assim o Brasil), acompanhei de São Paulo o desespero das mães de meninas que estavam em Nova York. Eliana e a modelo paulistana Ana Bela Santos, que também só murmurava algumas sentenças em inglês, viveram dias de pânico. Sempre saíam agarradas a uma mochilinha de emergência: passaporte, comida e uma muda de roupa. Azar para as meninas de Nova York, sorte para quem estava em Paris: ali, modelos menos conhecidas preencheram as passarelas, uma vez que as mais estreladas ficaram presas nos Estados Unidos até os aeroportos voltarem a funcionar e a poeira de escombros baixar.

*

A última que chegar na van do Mauricio é a mulher do padre... Palavras cruzadas, baralho, gibis da Turma da Mônica e livros do Harry Potter circulavam nos camarins. A bancada dos maquiadores virava a caverna do dragão sob a qual deitávamos, tentando dormir despercebidas, fugindo dos fotógrafos de beleza de backstage que atrapalhavam nossas brincadeiras: "Posso fazer uma foto?".

Não esqueço o dia que encontrei a modelo de então 13 anos ganhadora do concurso mundial Super Models 2003 da agência Ford, Camila Finn, brincando de Barbie no camarim de um desfile. Impossível deletar da memória quando fotografei uma matéria para o *2Fanzine* do jovem Dudu Bertholini tendo como stylist o menino de 10 anos, Pedro Lourenço, filho dos estilistas Gloria Coelho e Reinaldo Lourenço. Enquanto seus amiguinhos eram fãs do Batman, Pedro elencava os trabalhos preferidos dos estilistas Rei Kawakubo e Yohji Yamamoto. Em 2003, com 12 anos, Pedro me colocou pra desfilar com um vestido inspirado num tênis, na sua estreia na São Paulo Fashion Week (SPFW), pela marca Carlota Joakina.

Nosso maior playground veio a ser o prédio da Bienal, onde acontece a maioria dos desfiles da São Paulo Fashion Week. Tudo era mágico e motivo de bagunça. A começar pelas rampas. Desculpe-me, saudoso Oscar Niemeyer, mas dava uma vontade imensa de jogar água com sabão para as meninas da coordenação de backstage deslizarem quando fugíamos delas. Era obrigatório que nos acompanhassem até a porta do banheiro, esperando do lado de fora (até hoje é assim), colocando um lenço preto em nossas cabeças e cobrindo a beleza do desfile, chamando ainda mais a atenção de quem passa. Se não estavam presentes, corríamos para passear pelos corredores, pegar brindes nos estandes, assistir aos outros desfiles no telão, usar a internet e ir ao parque do Ibirapuera tomar sorvete.

O peso de ter largado a escola desaparecia quando nos reuníamos na sala de desfile, amontoados e curiosos, para escutar a aula-palestra do Ronaldo Fraga sobre o tema de sua coleção. "O céu do meu Brasil tem mais estrelas, lá-ra-lá-ra, o sol do meu país mais esplendor..." Essa era uma das músicas da trilha de um dos desfiles que mais me marcaram, *Quem Matou Zuzu Angel*. Com o amor de professor, Ronaldo Fraga contava o sentido inspirador de cada peça a ser desfilada, descolava o rótulo de fútil que às vezes me colavam, e eu virava uma orgulhosa portadora de uma história a ser contada. Toda aula tem seu recreio. Um ano colocaram uma piscina de bolinhas na SPFW: brincamos tanto que a modelo Natalia Fell acabou quebrando o braço lá dentro. Mas tudo bem... voltamos pro basckstage, porque tinha brigadeiro no camarim do Herchcovitch.

“Fecha a porta e pede pra botar a roupa”

Foram essas as palavras do comissário do juizado de menores do estado de Rio de Janeiro, surpreendendo a todos no camarim do Barra Shopping de Estilo, em julho de 2001. A então modelo Mariana Weickert gritava: “Que palhaçada, vai tirar as crianças da rua!”. Algumas modelos estavam trocando de roupa quando oito comissários da 1ª Vara da Infância e da Juventude chegaram ao backstage para fiscalizar a decisão do juiz, que proibiu menores de 18 anos de trabalharem no evento. O juiz tinha concedido autorização só para as menores de 18 anos que estudavam, ou seja, apenas 21 das 68 autorizações solicitadas. Isso gerou um caos no evento: agentes e modelos desfilando de um lado para o outro atrás de documentação. Algumas desistiram – como a modelo Raica de Oliveira, então 17 anos, que não tinha como comprovar os estudos. Fiquei triste por não ter ido fazer a temporada; mas, novamente, era a sorte fazendo pose ao meu lado. Infelizmente, parei de estudar neste mesmo ano e só viria a completar o ensino médio sete anos depois, via supletivo. Em São Paulo as leis ainda eram outras: tudo estava liberado. Assim, no raiar dos meus 16 anos, pude estrear na São Paulo Fashion Week no desfile da Gloria Coelho – como diria meu pai, "com o cabelo lambido de lado e piscando cinco vezes a cada passada". Depois da temporada, Gloria me chamou para fazer sua campanha no papel de G-*-Heroína*, com as minhas amigas Ana Bela Santos no papel de Cientista e Eliana Weirich como o Mal.

Em 2007, Paulo Borges, fundador da São Paulo Fashion Week, firmou um acordo com as agências, vetando a participação de menores de 16 no evento e exigindo atestado médico de saúde para que pudessem desfilar.

O primeiro kawaii ninguém esquece

Janeiro de 2002. Com o fim dos desfiles em São Paulo, minha credencial de evento foi reciclada, virando etiqueta de identificação de bagagem. Mal tirei a maquiagem, subi na van do Mauricio e fui direto da Bienal para o aeroporto internacional de Guarulhos. Embarquei pela primeira vez ao Japão com as modelos Carol Luchesi, Vivian Gargione e sua mãe. Tudo era novidade para meu olhar curioso; nem pensar em dormir na viagem: tirar foto com as aeromoças (pena que tinham proibido as visitas na cabine do piloto), comer e beber tudo que serviam e observar as maneiras como os outros dormiam a bordo.

No aeroporto de Narita, depois de passar na imigração, fui procurar minhas duas malas na esteira. Depois de atravessar oceanos, esperava pelas malas com um pavor imenso de elas serem extraviadas; quando afinal elas surgiam na esteira sentia uma alegria estupidamente explicável – eram meu único bem. Cada uma com 32 quilos – uma com roupas e a outra recheada de comida pra quem não sabe cozinhar: macarrão, sopa, risoto (tudo instantâneo), biscoito recheado, barrinha de cereal, gelatina, e, como boa filha de gaúchos, erva-mate! Na primeira vez, fui obrigada a abrir a mala para o guardinha da segurança verificar. Parecia que tinham matado um gremlin lá dentro: o pacote de erva estourou, deixando uma nojeira verde. Constrangida, tentava me explicar: "No speak English, no speak Japanese". Como dizer ao guarda que aquilo era erva de chimarrão? Fiz uma mímica do movimento de sucção da bomba, molhei os dedos com saliva pegando a erva e comi um pouco. O guarda fez o mesmo e abriu um sorriso: "Tea des!". Ufa!

*

Antes das primeiras viagens internacionais, a agência-mãe faz uma reunião informando as regras básicas da agência para a qual estamos indo: telefones para contato, tempo de estadia, informações sobre adiantamento semanal de dinheiro e os meios de transporte da futura cidade. Milena, minha booker internacional, escreveu: "Chegando, liguem na agência que irão informar que limusine vocês pegam para Tóquio". Vivian, que estava pela segunda vez na cidade, entrou em contato com a booker japonesa Kazumi, que ordenou que pegássemos a limusine para Shinjuko. Quando o veículo chegou, Vivian ria da minha expressão de surpresa ao avistar a "limusine": era um enorme ônibus laranja com um letreiro branco que estampava Limousine Bus – ou, com o sotaque deles, "rimujin basu". Depois de duas horas em uma estrada bucólica, desembarcamos em frente ao hotel Hilton. A simpática japonesa Nino nos buscou para deixarmos as malas no apartamento da agência; com 12 horas de fuso horário na cabeça, fomos direto fazer os castings do dia.

No Japão se vai de van aos testes porque é simplesmente impossível fazer 20 apontamentos por dia sozinha e sem se perder. O motorista é também seu manager, o equivalente a um booker no Brasil. Sabe de cor quais são seus trabalhos mais importantes e tem o poder de te vender como um produto de luxo, uma exclusividade ou raridade, ou te reduzir a um sushi qualquer. É muito difícil a modelo se meter a fazer castings sem um manager. Depois de anos de Japão, falando a língua, a história é outra. Em cada apontamento a modelo se senta em frente ao cliente enquanto o mananger vai te vendendo em japonês: nome, idade e origem, seguidos de um disparatado arsenal de trabalhos que a modelo fez em outros mercados, na ordem do que se fez de mais importante – capas de revistas, campanhas, editoriais com fotógrafos famosos –, até os ensaios que eles às vezes inventavam, soprando que era um "editorial ainda não publicado". O truque era fazer o cliente se sentir importante de ter a chance de trabalhar com aquela modelo.

No fim do dia, as bochechas doíam de tanto sorrir nos castings. Quanto mais meiga e inocente melhor: é bom passar um spray de "puritana" antes de sair de casa.

Eles já sabiam que a primeira palavra que aprendemos nos castings é "kawaii". Não importava o que era dito ao manager

– gostando ou não, de maneira mecânica eles balançavam afirmativamente a cabeça ao olhar para modelo, e diziam: "kawaii". Sim, bonita!

Tempurá não pode

Em Tóquio é assim: chega-se à nova agência cumprimentando todos, abraço aqui, sorrisinho ali. Quando vem o contrato, o ambiente fica sério. Mesmo para dar entrada no visto japonês, assinamos um pré-contrato antes de sair do Brasil. Mas o "produto" tem que ser checado na chegada, pra verificar se não veio com defeito.

A fita métrica (o vilão de toda modelo) é a primeira a dar as caras: o quadril tem tolerância de dois centímetros – se acima do combinado, o contrato é quebrado. Algumas agências de Tóquio medem as modelos uma vez por semana. Circunferência da cabeça, dedos, joelhos, altura, cor dos olhos, cicatrizes: tem que mostrar tudo – principalmente tatuagem. Os clientes japoneses não gostam muito de pele rabiscada: ligam tatuagens à máfia Yakuza. Nas academias de ginástica, se for uma tattoo pequena, toleram, mas tem que cobrir com esparadrapo, band-aid... as maiores, sem chance: não admitem. Dica para a nova modelo: se uma tatuagem grande estiver nos seus planos, faça depois de tentar o mercado japonês.

Outro fator típico do mercado asiático é a lista de "talentos": esportes e outras aptidões da modelo. Yoga, andar a cavalo, dirigir, cantar, dançar, mímica, esquiar, nadar, andar de patins, bicicleta... Para impressionar, assinalei que sabia fazer tudo. Na verdade não sabia dirigir nem nadar. Logo nas primeiras semanas os castings foram positivos e peguei um trabalho, pois sabia montar a cavalo. Mentira também. No dia da foto, a cliente veio sorrindo falar comigo: "Cliente muito feliz, né, você única modelo que sabe andar cavalo da agência, né!". Começou a me dar uma tontura: imaginei o Corcel Negro relinchando e escoiceando bravo – até a hora em que apareceram com um pônei fofinho para eu montar e fazer uma fotinho.

Outra coisa valorizada é o tom de pele: quanto mais branca, melhor. Chegar com bronze é pecado: o Japão é o país com maior consumo de cremes para clarear a pele no mundo. Parece preconceituoso, mas eles relacionam a pele queimada à dos trabalhadores de fazendas de arroz que ficam o dia inteiro sob o sol. Muitas brasileiras vindas daquela temporada gostosa de veraneio são mandadas fazer sauna antes dos castings, para desbotar o bronzeado.

Transparências, fotos com nudez e pele de animal, tudo isso precisa de autorização prévia da modelo. Ninguém é obrigado a desfilar com casaco de pele de animal ou transparências. Mesmo as que são contra acabam abrindo mão, por medo de se queimar com os clientes e perder outras chances de trabalho para a vasta concorrência. Admiro muito as modelos ativistas que conseguem chegar ao topo sem precisar abandonar suas virtudes. Saber outras línguas também conta pontos. Mesmo não sendo fluente, o aconselhável é assinalar que sim; muitas vezes a modelo pega um trabalho porque diz que fala italiano – chegando à gravação, só tem que repetir "Arrivederci". Mas é bom não exagerar jurando que fala chinês, hebraico...

No contrato de certa agência famosa de Tóquio pedia-se: "Favor não comer tempurá. Muito gordo." Mas em certas situações não há como evitar. Na grande parte dos trabalhos, no almoço vinham as "bento box", como uma caixa preta de avião: uma porção de arroz frio, frango com capa de gordura ou peixe, algas – e tempurá com chá verde para acompanhar. A aparência não é das melhores, mas é muito gostoso.

A maioria das meninas engorda na primeira vez que chega ao Japão. Para quem não está acostumado a comer bolinho de peixe com arroz frio no café da manhã, o que convém é correr às lojas de conveniência. Parada obrigatória da van entre um e outro casting, toda esquina tem uma, recheada de guloseimas que aumentam seu quadril. No começo todo mundo come saladinha, missô e as barrinhas de cereais que a mãe colocou na mala. Até a hora em que senta uma colega do seu lado de TPM com um pacote de palitinhos recheados de chocolate e você quebra a novena feita para Nossa Senhora das Manequins... A maçã que comia fica sem gosto; o proibido é mais gostoso. Atire o primeiro salto quem não se esbaldou comendo ursinhos de chocolate, pão com pasta de amendoim, sorvete de chá verde e todas aquelas gordices que seu paladar nunca havia sentido antes. O McDonald's, com seu hambúrguer quadrado de 100 yens, é um clássico.

Ah, Japão! Não bastam os diversificados cortes de cabelo, as portas se abrem do lado contrário, as revistas são lidas de trás para frente, e, sim, eles também inventaram as melancias quadradas. Fazer supermercado é uma diversão. Para tudo tinha uma mímica: apontava pro óleo de cozinha, depois para o meu cabelo – assim, esperava que a atendente me mostrasse onde estava o xampu para cabelos oleosos. Uma vez, uma ucraniana de 15 anos que morava no apartamento da agência passou mal e vomitou na casa toda. Levaram-na às pressas para o hospital, e, sem falar inglês, ela tentava explicar o que tinha comido: "tuna, tuna". Seu manager foi até o apartamento e, fuçando no lixo, encontrou várias latas estranhas – a coitada, achando que era um atum diferente, estava há duas semanas comendo comida para gato.

Tira a catota

No mercado asiático, você tem que mandar bem nas poses. Na primeira semana, a agência me emprestou uma fita cassete velha cheia de chiados em que um modelo de uniforme de balconista hoteleira, de rabo de cavalo, sobre um fundo cinza, ensinava como posar para catálogos. Não era como vocês devem imaginar: coloca a mão na cintura, olha para o alto, aponta para cima, mão no ombro, troca o eixo do quadril, sorri, cara de surpresa, cara de velório, tira o paletó, paletó no ombro, cara de ganhei na loteria, cara de dúvida... Alguma "gênia" modelo inventou uma coreografia para facilitar tudo e decorar rapidinho: a lição se espalhava pelas vans de agências a cada brasileira que chegava – era um meme boca a boca.

Primeira coreografia de catálogo: "Tira a catota". A pose começa ao levar a mão suavemente ao rosto, as pontas dos dedos perto das narinas. Segundo movimento da coreografia: "Enrola a catota". Você apoia o cotovelo na cintura com a palma para cima e o outro braço na cintura. Terceiro movimento: "Joga fora a catota". Você estica o braço para o alto, jogando a catota imaginária enquanto a outra mão se apoia sobre a cabeça, que mantém uma expressão sorridente, com ar de limpeza e felicidade.

Segunda coreografia: "Vi um passarinho azul!". Primeiro movimento: você aponta um dedo para o alto enquanto a outra mão cobre a boca; aí segura a expressão como se olhasse um passarinho no céu. Segundo movimento: "A morte do passarinho". Braço cruzado, segurando o outro, que deixa a mão cair sobre o ombro, enquanto a cabeça fica com o queixo mais baixo, com expressão de susto: "Tadinho!". Terceiro movimento: "O adeus ao passarinho". Mão na testa, em nome do pai, no coração, do filho e, alternando os ombros, do Espírito Santo, e para fechar uma expressão de paz de espírito: "amém!".

Os clientes antigos de catálogos adoram estas clássicas poses. Entrando no casting, ficam sentados a uma grande mesa, engravatados, com olhar sério, e perguntam: "Can you make some pose, please?". Eu arrasava na técnica "vi um passarinho azul" e até dei um upgrade para "vi uma floresta inteira". Incrível como dá para criar poses imitando bichos. Mas achava muito arriscado o método "tira a catota". Certa vez tive um ataque de riso tão grande que não consegui fazer; lembrava da catota grudada no indicador e caía na gargalhada. O cliente falou algo debochado pro meu manager Hiro, e um seco arigatô pra mim. De volta na van, Hiro disse, embaraçado:

— O cliente te achou bonitinha né, mas pra ele você muito burra, né, não sabe fazer pose, né.

Que trem pra Tóquio?

Todo japonês tem a manha de dormir no trem como índio em rede. Certa manhã, inventei de fazer o mesmo e fui parar longe de Tóquio, em uma cidade que até hoje não faço ideia de como se chama. Acordei no vagão, antes lotado, com apenas duas senhoras que usavam meias engraçadas. Levantei para pedir informação e as duas me olharam como se vestisse uma camiseta com os dizeres "Joguei a bomba em Hiroshima". Voltei pro meu banquinho percebendo que se dependesse delas continuaria sem localização.

Desci do trem e dei de cara com uma "pizza de plataforma" (rodelas de vômito grudadas no chão como souvenir das bebedeiras dos japoneses, geralmente encontradas perto do final de semana). Pulei por cima da de quatro queijos com birru (cerveja) e fui paro o outro lado, pra pegar o trem de volta. Entrei no primeiro que parou, que foi indo, indo, indo para um lugar mais esquisito ainda. Meia hora depois, desci. Nenhuma placa com nossos algarismos: tudo em japonês, só o Jaspion me ajudaria. No frio, no meio do desconhecido, esperei uma cobaia pra fazer minha mímica de "Hey, ajuda aí, me dá uma informação". Eis que surge o guardinha! Dei um sorriso tão grande que ele olhou para os lados achando que não era com ele. Apontava para o trem dizendo "Tóquio, Tóquio?" e fazia um ar de "cadê", gesticulando. Ele balançava a cabeça, confuso. Eu rodopiava, fechava os olhos tentando mostrar que estava perdida, o guardinha me olhava repetindo: "Tóquio, Tóquio" e voltando ao silêncio com cara de dúvida. Quando eu já estava quase conformada, me imaginando colhendo arroz e tomando chá verde pro resto da vida, apareceu outro japonês, poliglota e prestativo. Lembrei do nonno Domingos e desenrolei todo o palavrório de xingamentos italianos que lembrava: "Porco cane, porco pipa, io voglio ritornare a Tóquio!". Ele pegou no meu braço e me puxou pra dentro do segundo trem que passou. Sentei ao seu lado e a cada frase saía um "Tóquio che bello, Parigi che bello!". Depois de 40 minutos descemos; o segui até outra plataforma, onde, com a maior solidariedade do mundo, sorriu e apontou para o trem: Tóquio! Mesmo sabendo que estava quebrando as regras de costumes japoneses, lhe dei um abraço apertado e dois beijinhos, intimidando meu salvador.

Atrasada duas horas, cheguei ao lugar combinado para pegar a van para o casting. A agência estava quase colocando a "Kempeitai", a polícia secreta japonesa, atrás de mim: o atraso é o maior crime que uma pessoa pode cometer no Japão.

Okane é dinheiro, tempo é okane

Quem inventou o relógio tinha alma de japonês. Nunca vi um lugar onde o tempo é levado tão à risca. "Sorry, I'm late" funciona em qualquer lugar, menos com os japoneses: para eles, tempo é sinônimo de respeito, além de dinheiro. Cinco minutos é considerado um insulto; mais do que isso você corre o risco de ter desconto no cachê.

Entretanto, mesmo no atraso dos atrasos, nunca atravesse a rua no sinal vermelho – principalmente nos grandes cruzamentos do bairro de Shibuya. Meu relógio marcava 7h47, o calltime era 8h15 e ainda faltavam algumas quadras para chegar. Fui contornando a multidão que atende na calçada o sinal verde para pedestre, balancei o olhar para os dois lados da rua e não vi nenhum veículo no raio de um quilômetro. Começava a disparar para o outro lado quando escutei um alarmante apito: virei-me e dei de cara com um guardinha de trânsito vindo em minha direção agitando as luvas brancas. Decidido, segurou firme meu pulso e me carregou de volta ao outro lado da faixa de pedestre: "Green lighto, daijobu, red lighto, damé!". Sinal verde ok, sinal vermelho nunca!

As pessoas ao redor me olhavam pensando "eita gringa burra!". O guardinha paciente me segurou ao seu lado até o sinal verde abrir e ele sorrir esticando o braço indicando: agora sim, estava livre para tomar passagem. Constrangida, mas fiquei imaginando um guardinha da CET fazer isso às 5 da tarde na avenida Paulista.

Antes do trabalho, a agência entrega um papel contendo o "working sheet", em que está detalhado o tipo de trabalho, o fotógrafo, o horário, o valor do cachê, a locação e o mapa de como chegar ao local marcado. Os horários quebrados eram o que eu achava mais esquisito. Exemplo: "Favor sair de casa às 7h45, chegando na estação às 8h02 para pegar o trem das 8h07; descendo na estação de Shinjuko, saia pela saída número 5 e espere a van da locação que passará para buscá-la às 8h29". E às 8h30 em ponto a van chegava. Curioso é que muitas vezes viajávamos duas horas para fora de Tóquio... só para fotografar em uma parede branca de um estúdio qualquer.

Chegar antecipado não adianta: ninguém vai ganhar elogio. Na sua estadia no Japão, Thiago Volpato, que desfalcou o time de vôlei de Marialva (PR) para virar modelo, recebeu várias reclamações de clientes que ligavam para sua agência dizendo que ele chegava cedo demais. Em Nova York, quando a agência me enviou ao casting do celebrado fotógrafo

Steven Meisel, fui alertada a não chegar nem um minuto atrasada ou adiantada. Do lado de fora, na neve, com os olhos fixos nos ponteiros, quando a vigésima quarta parte do dia marcada chegou, meu dedo estava na campainha.

Não importa o mercado, pontualidade é a chave do trabalho. Quando estiver atrasada por algum motivo, é sempre recomendado avisar a agência ou o cliente. Depois soube do boato de que a secretária do Steven Meisel deixava os modelos esperando por algum tempo na recepção para observar sua atitude e particularidades – enquanto o próprio Steven ficava escondido em uma sala sentadinho numa cadeira confortável, analisando por câmeras o casting: se realmente gostasse do candidato, apresentava-se. Apesar de chegar on time, nunca vi o Steven.

Procurando emprego todo dia

Na carreira de uma modelo, a personalidade conta 50%, beleza 20% e os outros 30% são a sorte de alguma personalidade forte da moda gostar e te apadrinhar. Você pode até ser exótica (esquisita, diferente), mas se alguém como Steven Meisel, Anna Wintour ou Ricardo Tisci favorecê-lo, o mundo inteiro vai ter que te engolir. No Brasil, onde por vezes ainda rola o sentimento "tudo que é de fora é melhor", é fácil ter uma boa temporada nacional quando alguém influente lá fora foi com a tua fachada.

Antes de virar fotógrafo, o paulista Ivan Abujamra foi um dos modelos brasileiros de maior sucesso na gringa, no final dos anos 1990. Depois de ser recebido por vários assistentes de fotógrafos em NY, chegou a vez do casting do peruano com alma de carioca: Mario Testino. Veio um sujeito, deu uma olhada rápida no book dele e o direcionou para perto da janela, onde a luz era melhor para fazer polaroides. À saída, Ivan encarou o indivíduo: "Você pode falar para o Testino que eu vim aqui só pra vê-lo?". O tal disse: "Prazer, eu sou o Mario Testino". Ivan ficou chocado e lhe deu a mão: "Parabéns, já valeu meu dia! Já fui no Peter Lindbergh, Steven Meisel, Steven Klein e você foi o único que me recebeu em pessoa", sorriu. No dia seguinte Ivan já estava bookado para dois trabalhos com Mario – e daí pra frente sua carreira decolou. Anos depois passou para trás das câmeras como assistente do próprio Testino, ajudando quem o ajudou – hoje é seu diretor de fotografia no Brasil.

Com frequência me perguntam como é ser modelo. Respondo: "Imagine-se procurando emprego todo dia; a cada seis meses, seu currículo é invalidado". Modelos não têm carreira cumulativa; uma capa de *Vogue* do ano passado já era; o interessante é o que está e o que virá às bancas. A moda se recicla toda temporada, e com ela seus personagens. Nos castings, uma hora querem belgas, em outra, russas, americanas, andróginas, curvilíneas, ruivas, negras, com dente separado, cabelo curto, cabelos até a cintura. O jeito é se adaptar às mudanças: corta o cabelo um dia, bronzeia em outro, para de tomar sol uma temporada, muda a maneira de se vestir... Algumas mudam até o nome.

Quantas vezes atravessei cidades como Londres debaixo de chuva, neve, sol do meio-dia; quantas vezes troquei a sapatilha pelo salto alto na porta para entrar no local do casting... para o cliente sequer querer me ver. Porque já escolheu alguém, ou simplesmente porque eu não fazia o perfil que procurava. Há alguns tão chatos que abrem o book, folheiam como lista de telefone, olham para os lados, fecham o book e sorriem amarelo, dizendo um "Obrigado" pela metade. Já esperei três horas em fila de casting para ficar de cara com o cliente e ouvir: "Desculpe, estou procurando uma loura".

Em cada cidade do circuito das modelos os clientes têm uma maneira diferente de interagir nos castings. No Japão não dá para interagir muito; já na Itália, como no Brasil, perguntam sempre sobre a origem da sua família. Na Espanha são muito solícitos – mas não apareça no horário do almoço: nem a Naomi Campbell interrompe a famosa siesta. Em Nova York é um mar de simpatia na chegada, pois os americanos sentem-se na obrigação de serem educados. "Sweetheart, gourgeous, impressive, amazing, outstanding, breathtaking", é tanto elogio que seu ego vai da Primeira à Quinta Avenida em um segundo e sai do casting com a certeza de que o trabalho é seu. No fim do dia: o cliente que te encheu de elogios ligou pro seu booker dizendo que você estava fora de forma. Não generalizar é a dica: não dá pra sair pensando que toda vez que receber um elogio estão tirando com sua cara. É a Big Apple, nem todas as maçãs estão bichadas. So, smile like you mean it!

Agora, em Paris... Já dizia Coco Chanel: "Ser feliz não é uma característica dos europeus; estar contente é para as vacas". Por aí se tem uma ideia do humor francês. Não espere bajulação nos castings: francês é curto e grosso! Já escutei coisas tipo "Tem certeza que você é modelo?". Veja pelo lado bom: você nunca vai pra casa com falsas esperanças.

Indo a castings percebi o valor do aperto de mão; é a primeira impressão que fica. Depositava toda a minha energia nele: a pior coisa é ganhar um aperto de mão frouxo, vago, molengo, indesejado, torto, suado. Enquanto o cliente folheava meu book, emudecia: só queria ser lembrada. Afinal, tinha caminhado muito até ali, não custava nada ganhar dois minutos de plena atenção.

Recordo os rostos vibrantes das meninas saindo cedo para enfrentar os "go and see" e as carinhas murchas retornando à casa no fim do dia. Batalhas diárias. Tem que vestir a armadura e lembrar que você é um produto e que está sendo julgada pela aparência, não pelo que pensa. Cada casting é uma chance nova de começar tudo de novo, quem sabe encontrar a fada-madrinha que sinta que você é o perfume real no meio de tanta fragrância falsa. Cada porta é uma procura de emprego: você nunca sabe em que casting vai desfilar a sua boa sorte.

Modelete cultural

O mês de agosto no Japão é lotado de "modelos de um mês", que aproveitam as férias escolares na Europa para trabalhar – geralmente garotas do Leste Europeu. Com contratos mais baixos que o normal, determinadas como czares quando o assunto é dinheiro, invadem a capital japonesa com ares de debutantes. No Japão, gostam do ar infantil: quanto mais angelical, melhor. Trabalhei muito naquelas bandas por conta da cara de menininha – com 17, achavam que eu tinha 13.

Nesta profissão é normal mentir a idade para o cliente. Para cada um, contava um número diferente: no mesmo dia ia dos 16 aos 20. Em Londres falava: "Quantos anos acha que eu tenho?". Não importava o número que davam, deixava o cliente sempre com a resposta satisfeita: "Puxa, adivinhou!". Os managers de Tóquio inventavam com variados floreios os trabalhos que teríamos feito mundo afora, e eu, na suave esperteza, sabendo que curtiam exotismo no sangue, galhofava a mim mesma, trocando a nacionalidade dos meu avós: já tive ancestrais japoneses, italianos, peruanos, franceses, poloneses e de diversas tribos indígenas. Tudo pra garantir o pão integral de cada dia. Mesmo aparentando ter menos idade que no RG, na última das oito vezes que fui ao Japão, aos 23, já não podia mentir a idade com facilidade: todo mundo me conhecia das temporadas anteriores. Para os clientes, com meus 20 e pouquíssimos anos, já era uma jovem velha.

*

Os apartamentos de modelo deveriam ter aqueles fones de tradução simultânea das reuniões do G8 na ONU. Uma bagunça, ninguém se entende. Brasucas, russas, polonesas e tchecas dificilmente chegam falando inglês. Sem querer brincávamos de Imagem & Ação até nos entender. A van da agência era uma torre de Babel: motorista japonês falando palavrões em português, uma cantando rap francês, outra lendo Dostoiévski em russo (acho tão chique), outra no telefone falando em espanhol com a mãe, as brasileiras discutindo a relação – e todo mundo brigando pra ver quem comandava o rádio.

No apartamento de Yoyogi Koen, morava com uma menina da Bielorússia, Kate, de 15 anos – só sorrisos e o esforço em pessoa para se comunicar. Foi aprendendo inglês com sotaque de japonês, e tivemos que criar o dicionário da Kate: "Biordo" = bird, "pocketo" = pocket, "pantso" = pants, "I verry many like it" = awesome!

E não só Kate penava com o inglês de rua. Me embananava toda no começo e trocava as palavras – se me perguntavam "how old are you?", respondia "1,77m". Magaiwer, um modelo de Campo Mourão (PR), também faltou às aula de inglês. Sua primeira viagem internacional foi para a China. Entre um catálogo e outro, ligou para sua mãe contando que estava orgulhoso de estar entendendo chinês. Se o cliente falava "Chin up, chin down", queixo pra cima e queixo pra baixo, ele obedecia. Da China, seguiu para Londres, onde, no primeiro trabalho, o cliente ordenou: "Chin up, chin down". Assustado, Magaiwer comentou com a mãe ao telefone: "Nossa, em Londres eles também falam chinês!". Magaiwer também teve problemas com a comunicação ao entrar nos Estados Unidos. Na imigração, riram: não era possível que seu nome fosse Magaiwer. Imagina se ele contasse que o nome de seu melhor amigo em Milão era Conan.

Brasil x Rússia

No futebol, nosso maior clássico é Brasil x Argentina. Já entre as modelos a grande rivalidade é com a Rússia. Somos nós contra o Leste Europeu: Ucrânia, República Tcheca, Uzbequistão, Letônia, Polônia, Estônia, Bulgária... na dúvida, qualquer uma do Leste Europeu para as brasileiras era russa. Pelo menos temos uma coisa em comum: todas arrasavam no estrogonofe. Por ter o rosto arredondado, principalmente antes dos 22, à primeira vista achavam que eu fosse polonesa. Nas filas de castings, festas ou apartamentos de modelos, a primeira pergunta era: "De onde você é?". Ao ouvir minha resposta, o sorriso desaparecia e os olhares ficavam frios como a Sibéria. Mas nunca tive problema com nenhuma menina do Leste Europeu. Aplicava a mesma técnica de conquista: com jeito chegava e informava: que a Letônia se limita ao norte com a Estônia e a leste com Rússia; que a capital da Bielo-Rússia é Minsk; que bielo-russo não é igual a russo; que a bandeira da Ucrânia é azul e amarela;

que o Schevchenko, ex-jogador do Milan e Chelsea, é ucraniano; que a Croácia é conhecida por ter o ponto azul mais azul do planeta; que meu sonho era viajar no trem transiberiano, ver o Balé Bolshoi em Moscou e visitar o coração de Chopin lacrado numa urna em um pilar na catedral de Varsóvia.

A cada conversa me esforçava para aprender mais sobre a história da colega e sua terra – e aprender palavras básicas na língua das rivais lançava a bandeira branca na conversa. Natalias, Yulias, Kristinas, Lenas, Irinas, Natachas, todas com sobrenomes terminados em "ova" ou "vitch", eram aquelas bonecas matrioshkas a serem abertas; como uma casca de goiaba dura, descascando e descascando bastante, lá dentro eu podia encontrar o doce.

Não sei quando a rixa começou, só sei que existe. O Brasil e a Rússia são os maiores celeiros de modelos. As brasileiras, com suas curvas, sua sensualidade, alegria de viver e as mil faces da nossa ampla genética, disputam espaço com as filhas da mãe Rússia: misteriosas, com a alvura das neves siberianas, recatadas e com traços longilíneos. São várias as histórias de conquista de território dentro dos apartamentos de modelo. Em Nova York tinha uma menina que para as brasileiras era a encarnação do Ivan, o Terrível. Pingava vinagre no leite das colegas e atrasava o relógio para que acordassem mais tarde e perdessem os castings.

Extremos. Enquanto me contentava com um vice-campeonato e uma nota sete na prova, as russas nunca tiravam os olhos da liderança. Enquanto eu contava que certa vez fez 4 graus negativos em Maravilha e na rádio disseram que ninguém precisava ir à escola, a russa rebatia contando que na Sibéria ela só não ia à escola quando batia em 50 negativos. A brasileira, quando vê o primeiro montinho de neve, salta feito rena, pega a cenoura da dieta para fazer um bonequinho e liga pros pais contando que está passando muuuuito frio, mas que tudo bem, já que fica lindo tudo branquinho. A russa, quando vê o mar grita "krasiva, krasiva, krasiva!", saltita feito cossaco dançando, faz topless sem cerimônia, arruma um cara na praia para pagar um drink e liga pros pais dizendo que não vai voltar pra casa tão cedo. À base de piadas, assim foi que aprendemos a conviver sob o mesmo teto.

1. Em Maravilha (SC) – foto para participar do concurso do *Diário Catarinense*.
2. Primeiro composite.
3. Passagem para ir à final do concurso.
4. Me comunicava com a família por cartão postal.
5. Amigas que fiz no Models College.

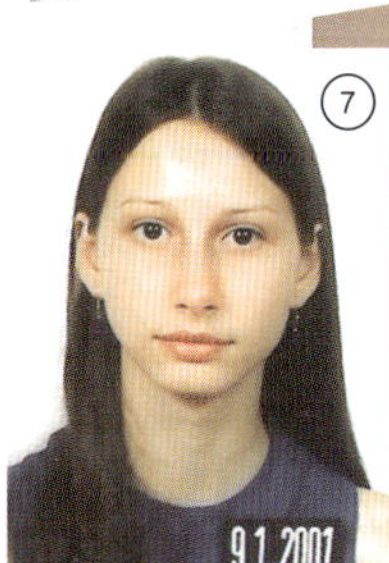

6. Primeiro composite francês.
7. Foto do primeiro passaporte.
8. A primeira polaroide.

9. Festa surpresa na estação Gare du Nord – Paris, França.
10. Nas folgas, passeios no Japão – Nikkō.
11. Zeca e eu no Pompidou em Paris.
12. Ruslana, a Rapunzel que morreu em 2008.

13. Isabel Zachow, eu, Manoela Zachow e Lílian Kreutz retratadas no apê de modelos.
14. Carteirinha do metrô parisiense.
15. Fax da Lílian mandando notícias.

(15)

MICHELLI PROVENSI

MIGUE

Oi linda! Meu Deus que saudade tá gritando!! E aí, como foi de Páscoa, horrores de chocolate! KK! Eu e a Isa ficamos aqui! o O! Sem fazer NADA! E as menina? Mando beijo tá?! Bom, vc se vai olhar o teu email que eu já mandei vários! A Isa mandou beijo, te amamos, maninha! Se cuida e trabalhe muito!

Beijo das Mamu e Isa!

Oi Pai, Dani, Naiza e Douglas. Estou com muita saudade, eu acho que vou ficar mais um tempo aqui pois graças a Deus eu estou trabalhando bem. O Japão é muito bonito pelo que eu já vi. Estou me virando com o inglês, deu até para aprender algumas palavras em japonês. Gostaria de estar aí na Páscoa e no seu aniversário Pai, mas eu estou correndo atrás do meu sonho. Beijos e guardem os meus presentes de Páscoa. Feliz Páscoa adoro vocês
Michelli Provensi

Para Luiz Provensi
Rua Travessa das Rosas
nº 387 Bairro Jardim
Cep 89874-000
Maravilha S.C
Brasil

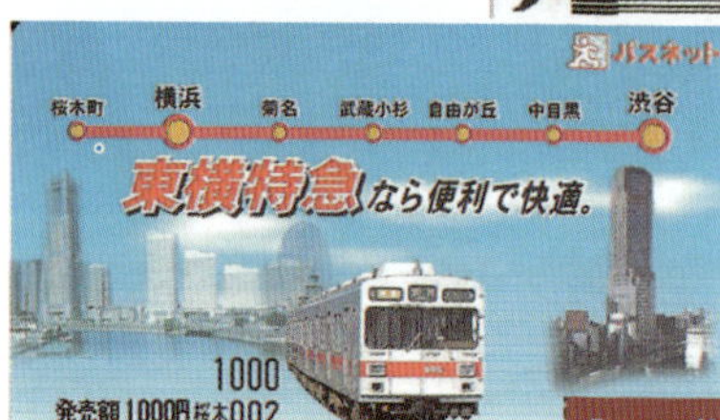

16. Entre um casting e outro, visitando Kamakura.
17. Irina Lazareanu e eu na Cidade Proibida, na China.
18. Limousine Bus.
19. Nota do jornal *Novoeste* de Maravilha (SC).

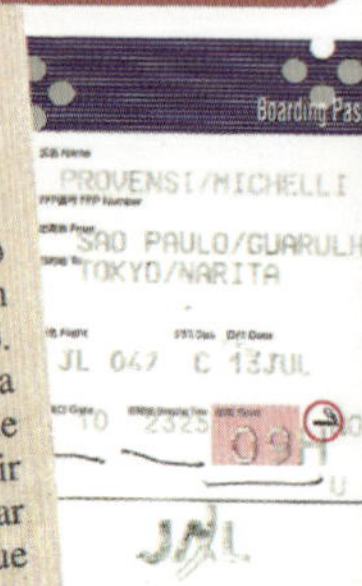

Michelli Provensi, em ascensão como modelo

Michelli Provensi

Com participação de garotas de todo o Estado de Santa Catarina, iniciou no mês de agosto do ano passado o concurso Model College, promovido pelo Diário Catarinense juntamente com a Agência Marylin Agency, que possui representações em Florianópolis, São Paulo, Paris e Nova York.

O concurso teve sua final no dia 16 de dezembro, quando a maravilhense Michelli Provensi ficou entre as primeiras colocadas, obtendo a segunda posição. Ela foi superada apenas por uma representante da cidade de Blumenau. Michelle recebeu como prêmio, além de um book fotográfico, um contrato de trabalho com a agência da cidade de São Paulo. Michelli viaja para a capital paulista neste fim de semana a fim de iniciar uma série de atividades, sendo assessorada por Zeca de Abreu, responsável pela escolha dos novos talentos da agência.

"Estarei trabalhando para uma agência que está entre as quatro melhores do país", conta Michelli, que avalia o concurso como uma importante participação que lhe proporcionou novas e importantes oportunidades.

Dados pessoais

Michelli Provensi é natural da cidade de São Miguel do Oeste, filha de Luís e Pierina, e tem 16 anos. Seu manequim é 36 e mede 1m76. Estudante da Escola de Educação Básica Nossa Senhora da Salete, ela concluiu no ano que passou a 1ª série do segundo grau. Assistir filmes, encontrar-se com suas amigas e patinar são apenas algumas das muitas atividades que ela gosta de realizar.

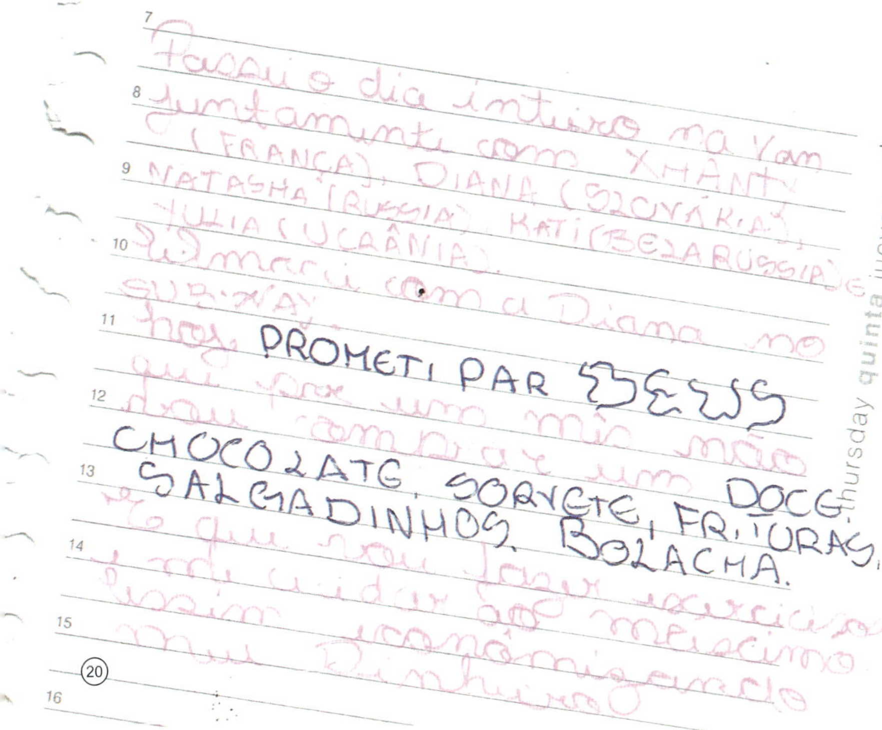

20. Diário da jovem modelo.
21. Palloma Dreher, eu e Bruna Erhardt pagando de turistas em Nova York.
22. Em Londres, trabalhando.
23. Descanso em Versalhes, França.
24. Francis, Consta, Nati e as máquinas de bebidas japonesas.

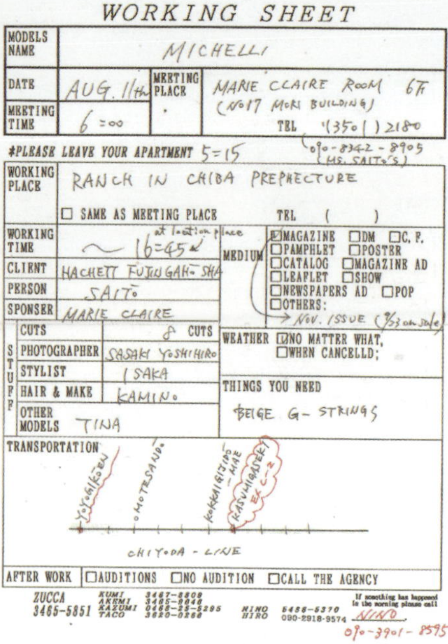

WORKING SHEET

MODELS NAME: MICHELLI
DATE: AUG. 11th — MEETING PLACE: MARIE CLAIRE ROOM 6F (No17 MORI BUILDING)
MEETING TIME: 6:00 — TEL (3501) 2180, 090-8342-8905 (MS. SAITO'S)
*PLEASE LEAVE YOUR APARTMENT 5:15
WORKING PLACE: RANCH IN CHIBA PREPHECTURE
☐ SAME AS MEETING PLACE — TEL ( )
WORKING TIME: ~ 16:45 at location place
MEDIUM: ☑MAGAZINE ☐DM ☐C. F. ☐PAMPHLET ☐POSTER ☐CATALOG ☐MAGAZINE AD ☐LEAFLET ☐SHOW ☐NEWSPAPERS AD ☐POP ☐OTHERS: → NOV. ISSUE (9/23 on sale)
CLIENT: HACHETT FUJINGAHO SHA
PERSON: SAITO
SPONSER: MARIE CLAIRE
STUFF — CUTS: 8 CUTS; PHOTOGRAPHER: SASAKI YOSHIHIRO; STYLIST: ISAKA; HAIR & MAKE: KAMINO; OTHER MODELS: TINA
WEATHER: ☑NO MATTER WHAT, ☐WHEN CANCELLD;
THINGS YOU NEED: BEIGE G-STRINGS
TRANSPORTATION: YOYOGIKOEN — OMOTESANDO — KOKKAIGIJIDO-MAE — KASUMIGASEKI EX. C-2 — CHIYODA-LINE
AFTER WORK: ☐AUDITIONS ☐NO AUDITION ☐CALL THE AGENCY
ZUCCA 3465-5851 — KUMI 3467-8809 — AKEMI 3465-8646 — KAZUMI 0468-25-8295 — TACO 3620-0268 — NINO 5488-5370 — HIRO 090-2918-9574
If something has happened in the morning please call NINO 090-3901-8595

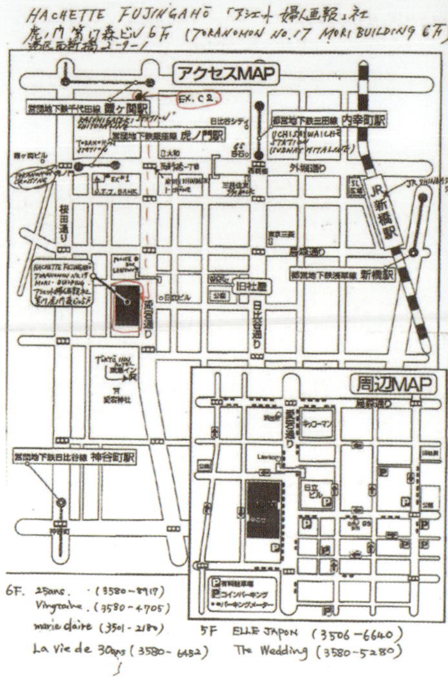

25. Os mapas de trabalhos japoneses.
26. Em Paris, celebrando com os modelos brasileiros o título mundial de futebol de 2002.

27. Corinthians e a paixão pelo futebol descoberta mundo afora.
28. Vanessa Gram e eu nos sinos do Bérgamo, Itália.

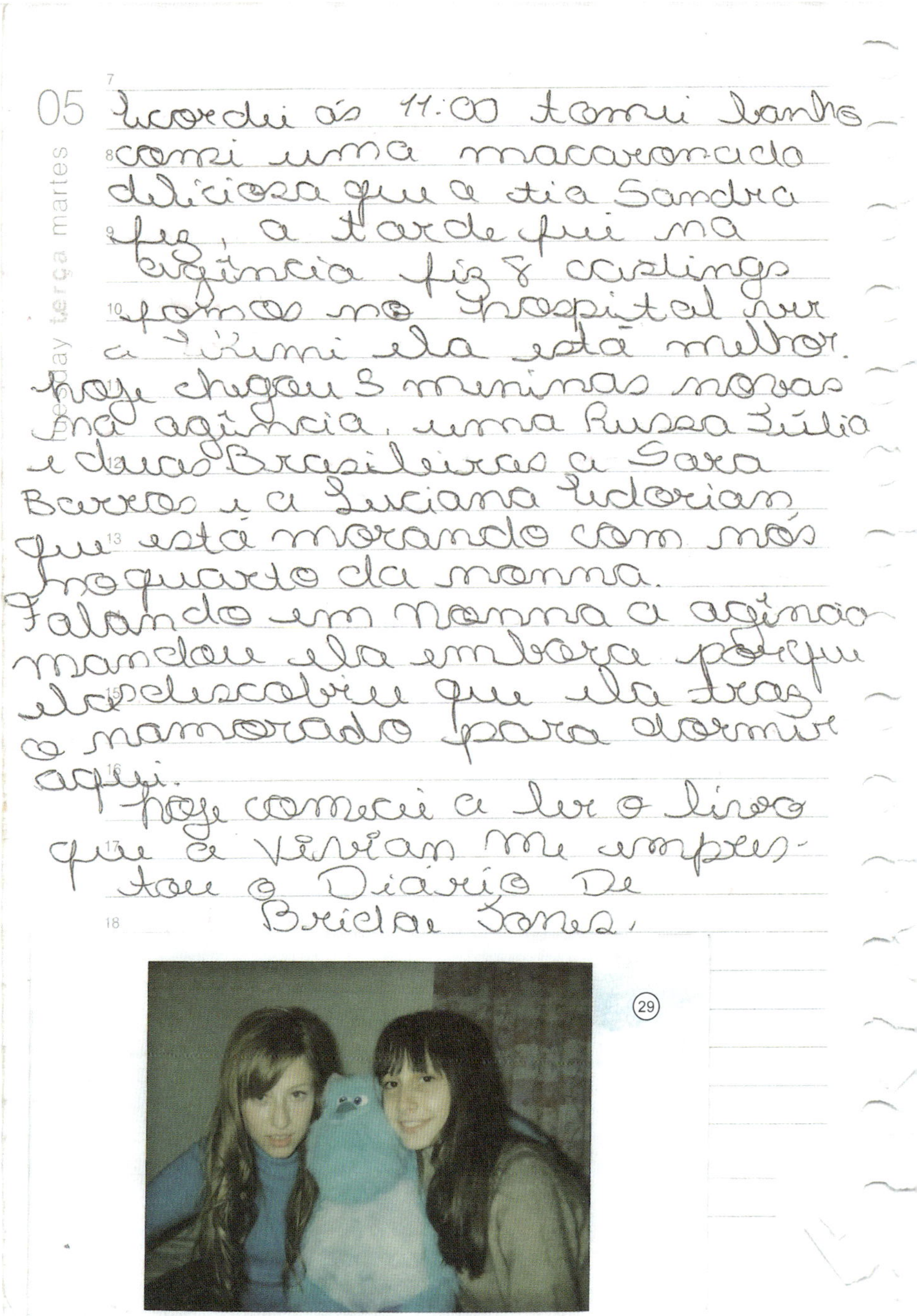
05 tuesday terça martes

Acordei às 11:00 tomei banho comi uma macarronada deliciosa que a tia Sandra fez, a tarde fui na agência fiz 8 castings fomos no hospital ver a Yumi ela está melhor. hoje chegou 3 meninas novas na agência, uma Russa Júlia e duas Brasileiras a Sara Barros e a Luciana Lidorian que está morando com nós no quarto da Nanna. Falando em Nanna a agência mandou ela embora porque ela descobriu que ela traz o namorado para dormir aqui.
hoje comecei a ler o livro que a Vivian me emprestou o Diário De Bridget Jones.

(29)

29. Diário dos tempos de Japão – primeira viagem. O assunto era sempre comida.
Na foto: Vivian, seu urso e eu.

30. O apartamento da rua Deputado Lacerda Franco, clicado por Ivan Abujamra para uma exposição.

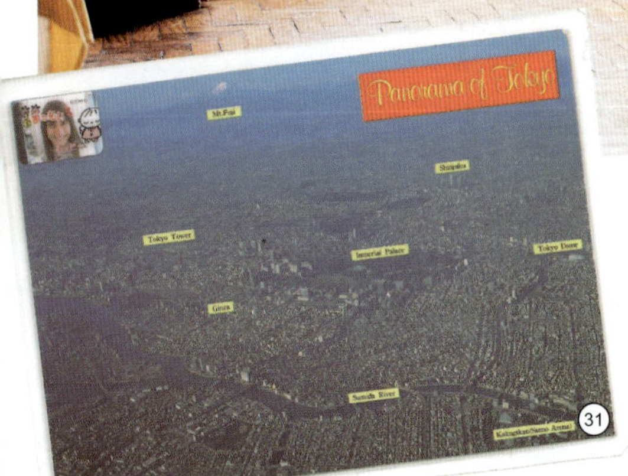

31. Contando para meu pai como Tóquio era gigantesca.
32. Ensaio para fanzine com styling de Pedro Lourenço, de 10 anos de idade.
33. A piscina de bolinhas da SPFW.

34. Escapando do primeiro beijo em clique da Debby Gram.
35. Bruce Dickinson e Joey Ramone em Pinheiros, São Paulo.

36. Metaleiras da beleza – eu, Letícia Altenbernd e Natália Beber.
37. Diário: dias em Tóquio.
38. Batucada na cozinha do apê de modelos – eu, Carol Trentini e Cíntia Dicker.

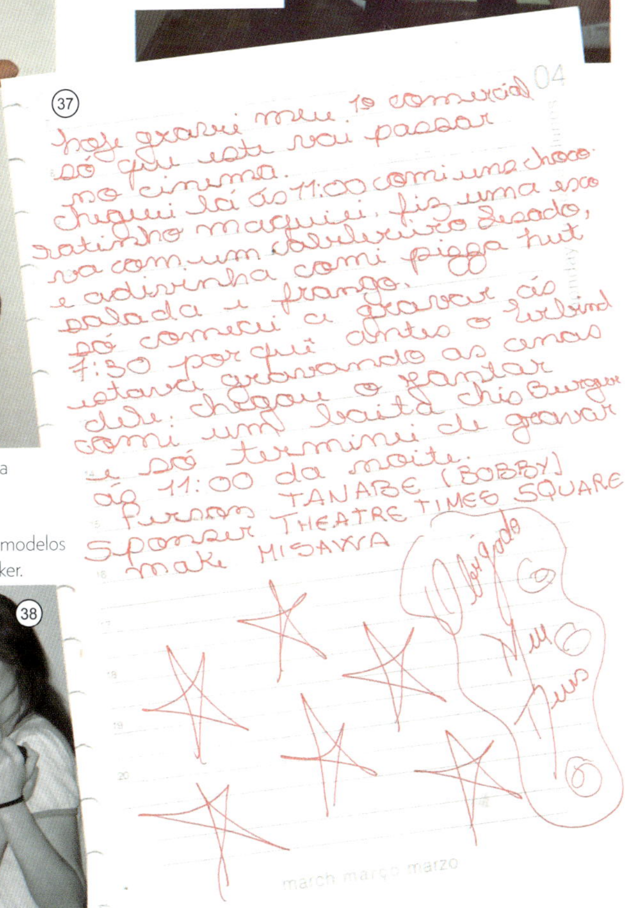

04

Hoje gravei meu 1º comercial
só que este vai passar
no cinema.
Cheguei lá ás 11:00 comi uma choco
ratinho maquiei, fiz uma esco
va com um cabeleireiro pesado,
e adivinha comi pizza hut
salada e frango.
só comecei a gravar ás
7:50 porque antes o [illegible]
estava gravando as cenas
dele. Chegou o jantar
comi um baita chis Burger
e só terminei de gravar
ás 11:00 da noite.
Pessoas TANABE (BOBBY)
Sponsor THEATRE TIMES SQUARE
make MISAWA

Obrigado Meu Deus

march março marzo

Cresci dentro da SPFW e do Fashion Rio:
39. Carlota Joakina
40. Reinaldo Lourenço
41. Maria Bonita
42. Samuel Cirnansck
43. Isabela Capeto
44. Maria Fernanda Lucena
45. Alexandre Herchcovitch
46. Animale
47. Neon

48. Zoomp
49. Lino Villaventura
50. Maria Bonita

51. Fabia Bercsek
52. Triya
53. Ronaldo Fraga

54. Cavalera
55. Gloria Coelho
(As amigas do backstage faziam o tempo passar mais rápido.)

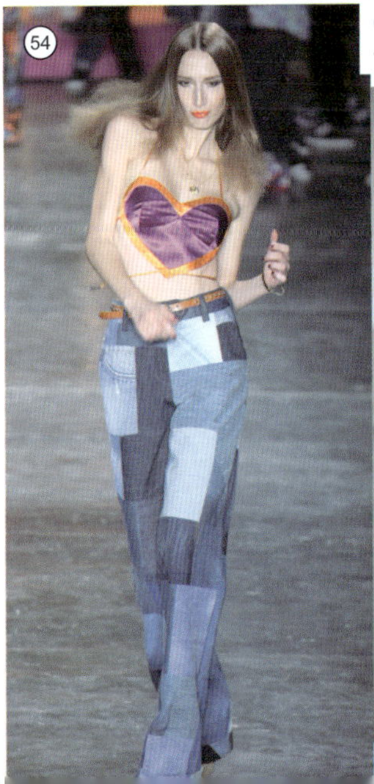

56. Forum
57. Maria Bonita Extra
58. Cantão
59. André Lima
60. Alexandre Herchcovitch
61. Pedro Lourenço

62. Alexandre Herchcovitch
63. Gloria Coelho
64. Ronaldo Fraga
65. Gloria Coelho
66. Ronaldo Fraga

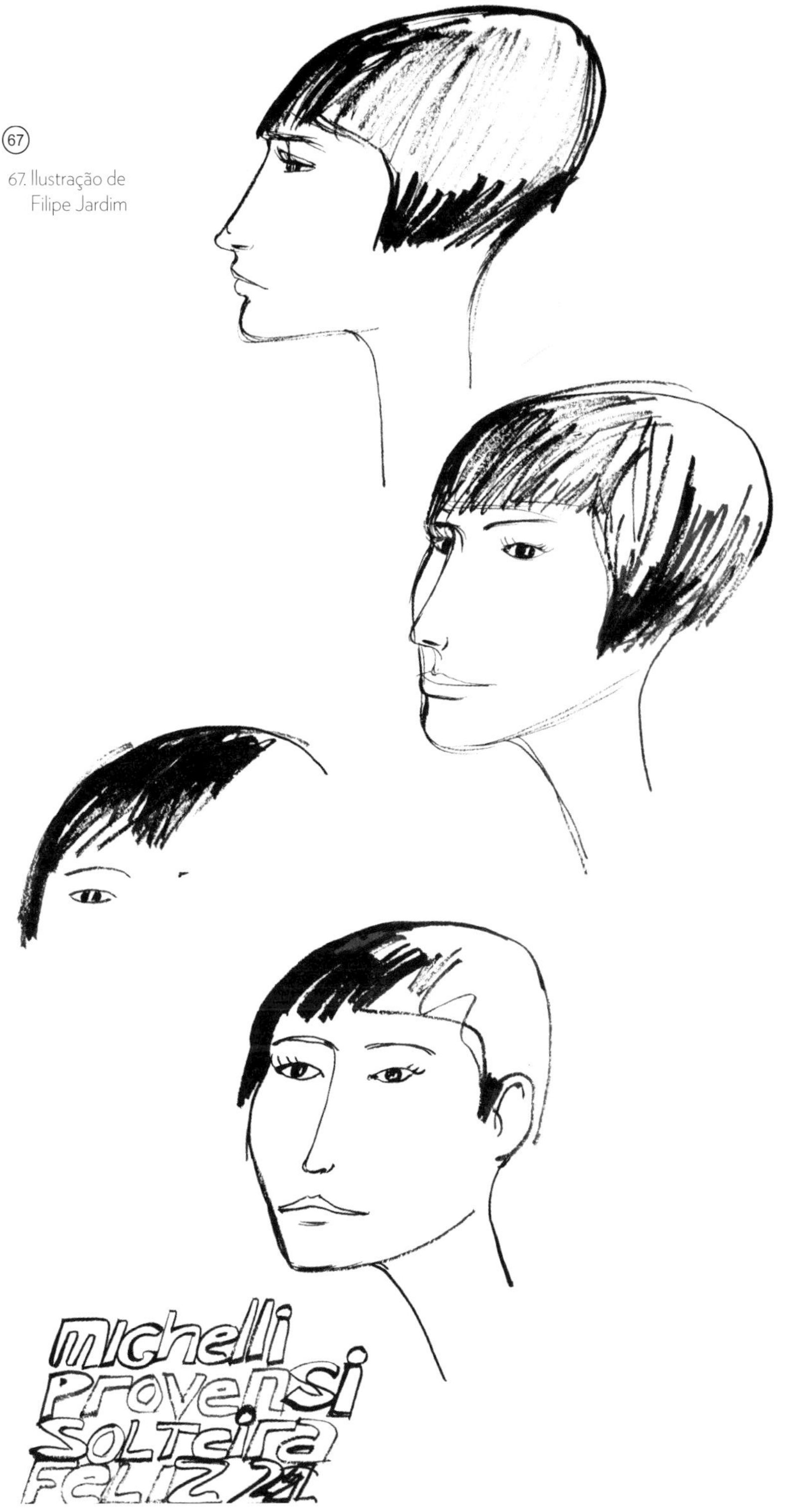

(67)

67. Ilustração de Filipe Jardim

68. Final de temporada de desfile é uma festa.
69. Renovando o look.
70. Ilustração de Filipe Jardim – backstage da SPFW.

71. Em ação para um filme fashion.
72. O primeiro trabalho profissional para a *Avantgarde*.

#AllTheModelsInTheHouse – gravação do clipe: botando a modelada pra requebrar.

78 Um olhar para São Paulo, os novos caminhos e oportunidades. Esta sou eu agora – feliz, sem esquecer o que aprendi rodando o mundo.

Mundos à parte

No Japão tudo parece ser diferente; da maneira de trabalhar à de se divertir. Todo desfile tem ensaio com roupa, com até três repetições se preciso, para alcançar a perfeição. Os estilistas japoneses em Paris também não abandonam este costume: na Comme des Garçons, o ensaio é feito na noite anterior ao show, com tudo devidamente cronometrado.

É normal levar um susto na primeira vez que te chamam para fazer um trabalho de lingerie no Japão. Entrei numa clínica de estética ou num estúdio? Sem pedir licença, lá vêm as japinhas com suas luvinhas brancas em direção aos peitos da modelo, introduzem suas mãos por dentro do sutiã que te deram para vestir para a foto, puxando o máximo possível os peitos pra cima. Ai da modelo que disser que faz isso sozinha: elas têm um chilique e não te bookam mais – afinal, são pagas para levantar o peito alheio. É sempre bom estar bem depilada nos trabalhos de lingerie: no Japão, de preferência, sem nada!

Se algum pelo marcar a calcinha, lá vêm as levanta-peito outra vez com suas luvinhas alvas, colocando uma esponjinha para disfarçar a penugem. Não queria nem pensar por onde tinham passado aquelas esponjinhas antes.

As melancias quadradas podem ser marcantes, mas nada como o vaso sanitário que canta. Quando vi a tal privada pela primeira vez me senti no desenho animado dos Jetsons. Aquele braço saindo do assento, cheio de botões com múltiplas funções como relógio, controle de temperatura, música, jato de água, ventinho... Uma das gringas que morava conosco achava que o vaso era um playground: entrava no banheiro e de fora já sabíamos que, na emergência, era bom ter um penico, pois a moça só sairia depois de duas horas.

Mesmo naquelas ruas e vielas estreitas, a cada dez metros tem uma máquina pra comprar cigarros e outra com café e chá de todo tipo. Sete entre dez modelos fumam, pois a ansiedade e a cobrança para se manter magra facilita o encontro com o cigarro. Em Tóquio é rápida a aproximação. Basta colocar algumas moedinhas na máquina. Na China as meninas começam a fumar porque é a maneira mais fácil de o cliente dar uma folga nas diárias inacabáveis de catálogos; pedir para fumar é mais respeitado do que pedir para fazer xixi.

Das máquinas também fiz proveito. Viciei-me no café e no chá verde; tomava três litros por dia e depois não conseguia dormir. Meses de insônia e uma gastrite. Ficava ligada sem parar: quanto menos dormia, mais elétrica me tornava. Pelo sentimento de segurança que Tóquio dá, tinha uma relação muito boa com a noite. Enquanto todo mundo dormia, eu corria cinco quilômetros para a frente e cinco quilômetros de volta, ou então caminhava sem destino tentando adivinhar o que diziam os letreiros. Quando morei com a americana Liz W, que também tinha ataques de insônia, caminhávamos pelas grandes vias até a balada Lexington Queen, conhecida por acolher todos os gringos artistas famosos e modelos da cidade. Como todos os outros modelos, principalmente por sermos meninas, ganhávamos fichas para beber e comer de graça. Muitas vezes eu entrava, comia dois pedaços de pizza e voltava pra casa.

No Japão ninguém liga para como você se veste: nada chama a atenção deles, nem mesmo uma vestimenta fora do normal. Saí na rua duas vezes de pijama, tênis e creme para espinhas na cara – não ouvi nada. Numa outra madrugada insone, entrei na loja de departamentos do bairro de Shibuya, Don Quijote – conhecida pela música irritante que toca 24 horas sem parar, verdadeira lavagem cerebral para quem trabalha lá –, e comprei uma fantasia de Gizmo, do filme *Gremlins*. Quentinha e aconchegante, passei um final de semana todo com ela e nem fui notada pelos japoneses – só os gaijin (estrangeiros) manifestaram surpresa. Como não amar Tóquio? Sendo eu mesma ou um personagem, ali nunca ninguém me julgou.

Karaokê e abacaxi

Às vezes aquela organização geral e a desconhecida língua me endoideciam. Quando dava uma acalmada nos castings e no trabalho, corria para um karaokê qualquer – o meu favorito era o karaokê de uma pessoa. No meio da tarde ou da madrugada, entrava naquela caixa, escolhia as canções de rock mais animadas e me deixava refinar a laringe gritando por duas horas com minha voz de taquara rachada. As melosas deixava para os dias de TPM, quando chorava e cantava, saindo de lá com a cara vermelha e inchada. Minha Tokyo therapy comia uma parte do meu advance: melhor que isso só ir ao estádio e gritar "vai, Corinthians!".

O advance, conhecido como pocket money, é a mesada semanal que a agência adianta para os modelos. O valor varia de 60 a 80 euros, 100 a 150 dólares. O dinheiro é destinado a alimentação, transporte e lazer. Uma agência de Tóquio cujo portfólio de modelos mostra uma capa verde-clara tem a proprietária mais paranoica de toda a Ásia. No site da agência há uma foto da cachorra da dona, ex-modelo. Quando alguma de suas meninas estava acima do peso ideal para os padrões da agência, ela dava só metade do advance para comprar água, pagar o transporte e um saco de maçã, forçando a menina a uma louca e restrita dieta. Mas nem sempre era só maçã: as brasileiras desta agência contam que certo dia a polonesa que morava com elas chegou em casa largando no sofá uma sacola com dois abacaxis e três litros de água. A severa dona da agência tinha dado uma semana para que ela emagrecesse e entregou a sacola dizendo: "Dieto, né! Você pode comer caminhão de abacaxi, mas só abacaxi, né!" Quando a modelo emagrecia, ela dizia, sempre sorridente: "Bom, né, agora que emagreceu pode comer abacaxi só à noite!".

Muitas meninas viviam no limite. Cidades como Tóquio e Nova York têm um custo de vida muito alto, há que se contar as moedas; algumas corajosas economizavam tanto que conseguiam comprar um equipamento eletrônico na volta para casa. As meninas do Leste Europeu vinham de uma situação econômica ainda pior que as brasileiras. Lembro de Tetyana, avarenta até com o papel higiênico, e com razão: metade do advance ela mandava para a mãe na Ucrânia. Ela comia só um cup noodles por dia – do mais barato; como é gordo, não podia comer mais que um. Dizia que se comprasse legumes e verduras não sobraria para mandar para casa, e então sua mãe também não comeria. Quando chegava de algum trabalho, Tetyana vinha feliz da vida: abria a bolsa e mostrava toda a comida que tinha rapelado das sobras do catering.

London calling

Depois de dois meses e quinze dias, deixei Tóquio com sorriso faceiro e bolso cheio. Dormi com o dinheiro enfaixado ao corpo feito múmia egípcia, embalsamada para chegar à outra vida e ali colocar tudo na poupança. Estava assustada com o que havia acontecido com a modelo Constantine: ela tinha largado o dinheiro dentro da mala, foi à loja de conveniência e, quando voltou, a janela de seu quarto estava aberta e o "okane" tinha batido asas.

Um pit stop na casa da minha irmã em Florianópolis para dar aquele abraço na família e, quando percebi, já estava em outro avião. Embalada com a mesma curiosidade de quando embarquei para Tóquio, desta vez trocando chá verde por english breakfast e a certeza de que, depois da temporada no Japão, estava pronta para mostrar até para a rainha o que era pontualidade Michi de Maravilha inglesa.

Desta vez fui sozinha, já que tinha aprendido umas 30 palavras em inglês, o que acreditava ser o suficiente para não passar fome. Entrei na Inglaterra com o visto inglês de trabalho; quando pisquei meus olhos estava no bairro de Covent Garden, na agência Premier. Depois daquela beijação toda de apresentação, meu booker Rick, um loiro arruivado australiano, veio sorridente em minha direção com duas folhas rosas cheias de endereços desconhecidos. Apontou a porta e disse: "Aqui estão seus castings, boa sorte". Sabe o olhar do Gato de Botas em *Shrek*? Meus olhos se encheram de lágrimas. Olhei desconcentrada para todos, depois para cima... e desabei no choro. A agência inteira se olhou sem entender nada. O ambiente ficou tenso. Rick, sem tirar o olhar dos meus 1,77m, pegou o telefone e discou para minha agência no Brasil. No que me passou o telefone, com uma voz falha me justifiquei: "Milena... explica pra eles que não faço ideia de onde estou, não sei onde trocar dinheiro, não tenho mapa e eles falam muito esquisito, não estou entendendo nada". Cheguei causando; pela famosa cena do choro, virei o bebê brasileiro da agência. Naquela tarde, um funcionário da agência me levou à casa de câmbio, comprou um mapa de ruas *London A to Z*, me ensinou a procurar os endereços dos castings e, finalmente, onde e como utilizar o metrô.

Não tinha noção de quem era famoso ou cliente importante. Num dia chuvoso tipicamente londrino fui conhecer o fotógrafo David Bailey. Subi as escadas de seu estúdio, onde seu assistente, um garoto magrelo, pediu para que eu esperasse. Troquei rapidamente meu tênis por um salto e, quando levantei os olhos, dei um pulo do sofá: enormes quadros exibiam poses clássicas dos Rolling Stones e dos Beatles. Senti uma mão no ombro, me virei e dei de cara com um senhor sorridente. Mal tinha estendido minha mão para o cumprimentar, voltei meu indicador para a parede:

— Nossa, que incrível! Você tem fotos originais dos Beatles no estúdio! Deve ter gastado uma fortuna!

Ele sorriu.

— São minhas, menina; fui eu que tirei.

— Fala sério — respondi —, estas fotos são muito famosas e antigas. O cara que fez já deve ter morrido!

Atônito, o senhor me pegou pela mão e me levou até uma estante cheia de livros.

— Qual o nome da pessoa que você veio ver?

— David Bailey — respondi. Nisso, ele apontou para os livros de fotos com o nome David Bailey gritando nas capas e lombadas. Abriu um livro e me mostrou uma das mais famosas fotos dos Beatles, de 1965, aquela mesma pendurada na parede, em que captura a essência da amizade de Paul e John, agachados, um apoiado no outro. Morrendo de vergonha, só consegui dizer "Parabéns...". David Bailey me ofereceu uma xícara de chá e me contou histórias de quando tinha vindo ao Brasil fotografar para a Nescafé. Acompanhou-me até a porta; vendo que meu guarda-chuva estava quebrado, me ofereceu o seu. Quando estava indo embora, escutei um "darling", olhei pra trás e lá estava o simpático Bailey sorrindo e acenando na janela. Três semanas depois, voltaria ao estúdio para fotografar com ele. O assistente magrelo era seu filho. A única direção que David dava na foto era: "Abra bem seus olhos. Abra bem seus olhos. Sua beleza são seus olhos".

As fotos eram para uma revista italiana que nunca vi.

Enfim, aprendi: para ser modelo, seria fundamental me lembrar o nome das pessoas que fazem o mundo da moda acontecer. Comecei a reparar na seção de colaboradores no início das revistas, ler o perfil de cada fotógrafo, stylist, maquiador, jornalista. Guardava essas páginas para saber quem eram as pessoas que futuramente encontraria em trabalhos e castings. Assim comecei a ligar o nome a pessoa – ou aos Beatles.

Quem diabos é Tom Ford?

"Ninguém é sério aos 17 anos."
RIMBAUD

2002, ano de Copa do Mundo. Em junho, os pubs começavam a se decorar para receber os torcedores. Fiz minha parte, comprando uma camisa canarinho, e esperei ansiosa o início do mundial. Por serem na Ásia, os jogos geralmente aconteciam bem cedo. Pegava minha xícara de café e me arrastava sonolenta para a sala enquanto o resto da casa dormia. A estreia do Brasil foi num sábado ensolarado, 8 de junho, 12h30 no horário inglês, contra a China. Uniformizada como torcedora, fui ao encontro da única TV da casa e dei de cara com o dono do apartamento de cueca, vendo um filme com sua namorada. Perguntei se ele ia ver o jogo. "Que jogo?", respondeu. Desapontada, peguei minha bolsa com o kit modelo (book, salto, mapa) e fui procurar um pub para ver a partida.

Entrei no primeiro que encontrei em Holborn, sentei, pedi um suco de uva e ganhei sorrisos por estar com a camisa do Brasil. Os ingleses mal sabiam que mais tarde seriam eliminados do mundial justamente pela nossa seleção. Terminado o primeiro tempo, lembrei que tinha um casting para ir. Na verdade, era um request (quando o cliente tem quase certeza que quer você para o trabalho, mas está em dúvida entre duas meninas). Olhei o relógio e pensei: se sair agora, vou perder todo o segundo tempo! Quem é maluco de marcar um apontamento bem na hora do jogo do Brasil? Desliguei o pensamento do trabalho e fiquei assistindo à partida, que ganhamos por 4 x 0.

Como não tinha celular ainda, passei o final de semana tranquila. Segunda-feira, cedinho, fui à agência pegar a agenda do dia. Entrei, como de costume dei um sorriso e um bom-dia. Ninguém respondeu. Com um olhar irritado, meu booker me chamou:

— Por que a senhorita não foi ao request no sábado?

Cheia de razão, respondi:

— Who the fuck is Tom Ford? Quem diabos ele pensa que é para marcar um casting bem na hora do jogo?

Rick não sabia se ria ou me matava.

— Frangolita — disse, usando um dos meus apelidos —, você não pode faltar a um request. Seria muito importante para a sua carreira; Tom Ford é o estilista da Gucci e Yves Saint-Laurent e queria te ver para um trabalho! Desta vez, você perdeu sua chance. Espero que tenha aprendido...

Realmente, perdi: nunca tive outra oportunidade de encontrar Tom Ford. Pelo menos o Brasil ganhou a Copa.

Quem roubou meu cereal?

Se tem uma frase que descreve Paris para mim é esta, de um autor desconhecido: "Leve o tempo que quiser para aprender a me amar; aproveite o dia".

O motorista chinês da agência Marilyn de Paris foi me buscar na estação de trem Gare du Nord. Cheguei à noite, no último trem vindo de Londres, extasiada em descobrir uma cidade cuja única imagem era a Torre Eiffel. Entrei no carro e voltei meu olhar para cada rua que passava, me abrindo em sorrisos num mar de beleza. Deu vontade de chorar, feito choro fino de saudade, nos meus primeiros momentos em Paris.

O apartamento de modelos onde fui morar ficava no Boulevard Saint Germain 180, pertinho do café Flore e suas histórias para turistas, ao lado do ateliê da estilista Sonia Rykiel, uma figura com a qual cruzei muitas vezes, sempre chamando minha atenção com seu cabelo ruivo estilo incêndio. O model's flat ocupava um andar inteiro, com seis quartos de portas brancas grandes, sala, cozinha, dois chuveiros e só um banheiro para as 13 meninas de diferentes nacionalidades. Tudo sob o olhar vigilante da senhora francesa guardiã, Colette, que passava o tempo trancada no quarto lendo com seu fedorento gato Felix.

Fui acolhida com alvoroço pelas catarinenses Constantini e Elle. Ambos os nomes são artísticos. Constantini é o sobrenome de Fabrine; e Elle estava registrada como Silaine Adriele. É comum as agências mudarem os nomes das meninas para causar impacto no mercado fashion – ou porque soa estranho mesmo. A mãe da modelo americana Chanel Iman sabia do poder de um nome: juntou o Chanel da Coco Chanel com o Iman da famosa modelo negra Iman, esposa de David Bowie. Se um dia tiver uma filha e ela quiser ser modelo, poderia chamá-la de Prada Moss Provensi.

Mal fui apresentada à minha nova cama e fomos direto à cozinha cortar o bolo de cenoura quentinho e gorduroso que Elle tinha acabado de fazer. Tocou o telefone, era o Zeca:

— E aí, perua, chegou bem? Em Paris eles gostam de meninas elegantes! Vê se não vai ficar se enchendo de crepe de Nutella e croissant!

Desliguei, comi um pedaço do bolo sem peso na consciência e fui dormir.

*

Seis da manhã, levantei e fui ao espelho gigante com moldura dourada que ficava sobre a lareira (chique demais um quarto com lareira) analisar a espinha interna no meu nariz: tudo bem, a espinha é de bruxa mas este quarto me faz princesa, pensei. Na cozinha, me deparei com um vulto magro loiro descabelado:

— Comeram meu cereal! Quem roubou meu cereal?

— Oi, prazer! Meu nome é Michelli, sou brasileira — disse, toda simpática. A loura murmurou algo em outra língua e disse "ok", apontando a geladeira:

— Esta geladeira é das brasileiras; a outra é das europeias. Não misture, porque vocês fazem umas comidas que fedem. E fique de olho nas suas coisas, porque os mantimentos têm tendência a se evaporar neste apartamento.

Toda semana tinha uma confusão. "Quem roubou meu chá verde?"; "Tinha dez biscoitos neste pacote e agora só tem sete", "Hellooo, minha margarina não é coletiva". Em um dos apartamentos de modelos em São Paulo, tinha o mistério do iogurte... na calada da noite, uma menina furava com uma agulha a parte de baixo dos potes de iogurte e chupava o conteúdo: quando a dona do iogurte ia abrir o pote de manhã, estava estranhamente vazio...

Quem é vista é bookada

Era um república de sonhos. As meninas se debruçavam sobre a máquina de fax à espera que um super trabalho viesse impresso naquelas folhas encabeçadas com o nome delas: Fulana Modelo de Tal, shooting amanhã para a *Vogue Paris* com o super influente fotógrafo. E o tal trabalho não vinha. Mas o sonho reinava todo o dia o mesmo. Nunca brigava pelo controle da televisão e nem dedava para Colette as meninas que fumavam no quarto, dividindo o cigarro penduradas na janela. Por mais difícil que fosse a comunicação, deixava expresso meu gosto por esportes e, solidárias, as gringas saíam corredor afora: "Michel, Michelli, Mitchelssss, venha logo, seu comercial preferido está passando". Um casal correndo na chuva, ao som de uma música de festa cigana, pisando em todas as poças de água, com um pirraçando e tentando molhar o outro, até um ônibus passar, molhando os dois. Dentro do ônibus, o jogador de futebol inglês Rio Ferdinand.

Uma por todas, todas por uma. Na base dos gritos distintos e dos universais cutucões – como na tarde em que nos esprememos na janela pra ver a procissão solene do traslado do corpo do escritor Alexandre Dumas para o mausoléu do Pantheon. O pai dos Três Mosqueteiros foi carregado por seis guardas republicanos lindamente fardados, escoltado por uma multidão que balançava seus livros nas mãos.

A agência Marilyn fica entre a Opera e a Place Vendôme, no número 4 da Rue de la Paix. Minha história em Paris começava a três números de distância: no número 7, onde ficava o ateliê de Charles Frederick Worth, pai da alta-costura e marido de Marie Vernet, que, de acordo com os registros da história, foi a primeira modelo fashion. Pegamos o metrô na Rue du Bac e descemos no jardim de Tulleries. Ao passar pelo enorme obelisco verde na Place Vendôme, Elle riu:

— Este é o pinto do incrível Hulk!

Foi ela quem me levou à agência no primeiro dia. Sentou-se na escada para colocar o salto enquanto eu chamava o elevador:

— Mi, você não trouxe salto alto?

— Pra quê? Não é casting, só vou conhecer a agência!

Entramos e demos de cara com um quadro da modelo italiana Maria Carla, de peitos de fora, com um cigarro na boca, segurando uma guitarra. Elle foi à mesa do booker dar "bonjour"; fiquei esperando minha vez. Como tinha fotografado coisas legais em Londres, estavam felizes com a minha chegada; no entanto, não escapei das olhadas dos pés à cabeça – tem booker com fita métrica no olhar.

A Marilyn ocupa dois andares de um prédio elegante. Depois de passar por um corredor com réplicas dos retratos da Marilyn Monroe por Andy Warhol (mas o nome da agência não está relacionado à atriz, e sim ao da dona, Marilyn Gautier), peguei um café na sala ao fundo, fui apresentada a Emma, que cuidava do departamento de new faces, e subi para conhecer Ana Gallet, ex-modelo brasileira que trabalhava há tempos na França. Aninha, que organizava o material das modelos (book, composite, cópias, fotos), me acompanhou de volta à sala do café pra conversar:

— Maravilha, é o seguinte: aqui não vai dar para você se vestir que nem menino. Tem que usar salto alto.

Respondi indignada:

— Mas em Londres eu ia de All Star na agência! Só em alguns castings de desfile pediam pra colocar salto.

Eu sei, Maravilha, mas aqui não é Londres. Eles gostam de sentir na agência como você está realmente indo ver os clientes. Tente se vestir de modo mais feminino!

Algumas agências pedem para um profissional dar uma olhada no guarda-roupa das modelos novas em que apostam, mostrando o que podem e o que não devem usar, muitas vezes levando as meninas para fazer compras e montar um estilo. Lógico que, mesmo adiantado, tudo sai do bolso da modelo.

A agência vai sempre dar seu parecer sobre nosso visual com base na responsabilidade de não nos deixar pagar mico.

Uma de nossas bookers pediu para Elle e eu darmos toques em uma das gringas que moravam conosco: ela circulava pelos castings com o cabelo oleoso e um cheiro que deixava claro que não era adepta do banho. Me lembro dela arrastando pela casa as meias onde se grudavam farelos de biscoito, fios de cabelo e poeira... Ela sempre me fazia lembrar esta lição da Aninha: a agência é seu primeiro cliente. Muito importante visitá-los com frequência e estar sempre bem-vestida. Quem é vista é bookada.

C'est pas chic, c'est elegant

Depois de mandar meu ilustre casting com Tom Ford para escanteio, aprendi: durante um ensaio para a revista do jornal inglês *The Independent*, pedi para que me arrumassem um rádio para escutar os jogos da seleção. Para minha tristeza e para a alegria dos bookers, a Copa de 2002 estava nos finalmentes.

Em um domingo ensolarado de 30 de junho – que seria o aniversário da minha mãe –, Katarina Scola, Bruna Maganha, a loura bombshell Constantini (cansada de trabalhar com um velhinho simpático de óculos, "um tal de Ivys Sainti Louranti") e eu fomos para a praça do Hotel de Ville nos reunir com os outros milhares de brasileiros para assistir à final: Brasil x Alemanha. Enquanto o juiz apitava o início de jogo no estádio de Yokohama, eu gritava "Allez allez le Brésil!". Neste exato momento, Chico Xavier falecia em Minas Gerais, enquanto em São Paulo as modelos iam para o casting do estilista Alexandre Herchcovitch para o desfile da SPFW – ele tinha marcado o apontamento bem na hora do jogo. O final todo mundo conhece. Seguimos o fluxo verde e amarelo em direção à mais famosa avenida do mundo, a Champs-Élysées, com seu 1,9 quilômetro de comprimento abarrotado por uma multidão feliz.

Finda a Copa, os orientais voltaram com força na minha vida – eu era conhecida na agência como a "rainha dos japoneses". Todo mundo que tinha uma partícula de sangue da Terra do Sol Nascente trabalhou comigo em Paris. Adorava passar tardes em silêncio trabalhando com eles, mas confesso que sonhava em ter a chance de conhecer outros clientes. Mas como conseguir esse feito se a head booker, mandante da mesa de booking, nem olhava pra mim?

Toda manhã eu ia para a agência toda feliz, montada no salto, e girava por todas as mesas, soltando beijinhos de bonjour. Na vez de cumprimentar Véronique, a head booker, ela estava ou ao telefone ou fumando ou me ignorando. Idealista, pensava: vou chamar sua atenção. Comprei um batom vermelho intenso e passei nos lábios como um ritual de guerra; fui à agência e fiz questão de cumprimentar Véronique primeiro. Desligando o telefone, ela disse: "Uau! C'est chic seu batom Michelliiii", com aquele i arrastado no final do meu nome. Inflando meu ego, respondi com a frase que tinha escutado de John Galliano, numa entrevista ao *Paris Première*:

— C'est pas chic, c'est elegant, meu bem!

Não é que ela gostou? Daquele dia em diante pediu para que eu fosse a todos os castings com batom vermelho – no mesmo tom que minha mãe adorava usar.

Primeiro beijo em público?

Nos meus 13 anos, bocejava nos cantos da festa porque era a única menina que sobrava sem paquera. Desolada, certa noite de baile, voltei pra casa, peguei um saco de pão e um garrafão de vinho da colônia e sentei no meio da rua, no alto do morro da Travessa das Rosas. O céu de Maravilha é tão estrelado que é impossível se sentir sozinha. Mirei o astro maior que brilhava em minha direção e arremessei um pedaço de pão velho gritando:

— Por que me fez tão feia, meu Deus? Meus irmãos são tão bonitos, fazem tanto sucesso na escola, e eu você fez magra e esquisita; ninguém quer beijar! Por quê???

Para disfarçar minha magreza usava duas calças para ir à escola. Sonhava em ter um quadril avantajado como o das dançarinas de axé: Carla Perez era minha referência de beleza e sucesso. Minhas colegas de profissão também sofriam do mesmo tormento: todo aniversário, a paulistana Carol Fontaneti, ao assoprar as velas do seu bolo, pedia para ter peito e mais bunda; a também paulistinha Ana Bela Santos caminhava pela casa com uma colher de pau batendo nos peitos dizendo "1-2-3, 1-2-3" para ver se eles cresciam, como mágica. No círculo escolar em que crescemos, ser magra nunca foi sinônimo de beleza.

No meu segundo ano de trabalho, peguei uma campanha de jeans para ser fotografada pela Debby Gram. Depois de Calvin Klein e suas campanhas de jeans exalando sex appeal, todas as marcas seguiram esta linha. Neste espírito o cliente queria as fotos. Comigo dividiram a cena Renata Klem e o gaúcho Renato Rushel. Debby achou que meu perfil combinava com o de Renato – e aí estava montado o casal da história. Nos cliques, Debby pedia:

— Mais sensualidade e erotismo! Podem se beijar, se quiserem!

Entrei em pânico. Como assim, beijar? Nunca tinha beijado na vida. Como faz? Põe a língua onde? Putz, dar meu primeiro beijo num trabalho! Notei os lábios de Renato chegarem bem próximo aos meus e naquele momento enfiei meu dedão na sua boca e lancei um olhar AK-47 para a câmera. Estava feita a foto principal da campanha – e tinha escapado de ter meu primeiro beijo capturado pelas lentes da Debby.

Apesar de meu pai ter dito, quando saí de casa, que "timidez é prejuízo", não adiantava. Os fantasmas dos tempos da escola, quando ser magra era ser feia, agora, agregados aos novos adjetivos "estranha" e "exótica", me perseguiam, colocando minha moral em dúvida.

Entre tantos castings em Paris, peguei um editorial para a revista alemã *Allegra* para fotografar em Cabo Verde. Fui direto para casa dar um Google no país: a única coisa que sabia era que Cesária "Sodade" Évora tinha nascido lá.

Acompanhada do maquiador Francis K., em Lisboa encontramos o restante da equipe: a stylist de Hamburgo, o fotógrafo brasileiro André Passos, que morava em Nova York, e seu assistente italiano. Voamos para a ilha do Sal e em seguida para a ilha de Boa Vista; no hotel, 80% dos hóspedes eram italianos de terceira idade. No primeiro dia, André saiu para ver locações enquanto eu provava roupas e fazia testes de maquiagem para a produção do dia seguinte. Durante o jantar, tinha um show de danças típicas do Cabo Verde; ao final da apresentação, escolhiam uma pessoa por mesa para dançar "Maria Julia". Como eu era a mais jovem e ainda por cima brasileira, fui a eleita para rebolar com os cabo-verdianos. Alex, o mais alto dos dançarinos, um africano encorpado tipo Puff Daddy, cujos cabelos descoloridos arrebatava suspiros, foi meu par.

"Maria Julia" é uma música de Gil Semedo perfeita para dançar o batuque – cujos movimentos, em especial o requebrar das ancas combinado a flexões rápidas dos joelhos, são inspirados no ato sexual. Acho que fiz sucesso: Alex ficou me cortejando a semana toda, e eu não aguentava mais dançar "Maria Julia" com a barriga cheia de fusilli e nhoque. No penúltimo dia, depois de fotografar em praias quilometricamente desertas, voltei para o hotel cansada. Alex me seguiu até a porta do quarto, me abraçou de surpresa e tascou-me aquele beijo africano. Segundos depois, escapei de seus lábios, fiquei sem jeito e fechei a porta. Incrédula, liguei para minha irmã para dizer que finalmente tinha dado meu primeiro beijo – nos mares africanos, aos 18 anos.

Síndrome de Desprendimento de Informação

Estava esticada como um lagarto no parque Monceau, num dia de verão em Paris, vendo os meninos jogarem capoeira, bebendo Orangina (suco de laranja com gás), quando a agência ligou:

— Michelliiiiiii! Você pegou um trabalho em Londres e os bookers de lá gostariam que você ficasse mais três semanas para visitar clientes novos!

Vida de modelo é simplesmente last minute.com. Joguei tudo na mala – que estava parcialmente quebrada mesmo – enquanto minhas flatmates riam, tentando levantar a mala que explodia com tanta coisa. Mudando de país a cada dois ou três meses é impossível ter pouca coisa: as estações mudam, o guarda-roupa também; sem casa fixa, era obrigada a carregar tudo comigo. Carol Trentini, que morava no mesmo apê, sabendo que eu era pão-dura e que iria levar a mala de metrô chegando a Londres, disse, descrente da minha situação:

— Mi, como você vai fazer pra carregar esta tralha toda escada acima no metrô?

— Sei não, Carol, mas... Deus "Provensi".

*

O pain au chocolat não tem gosto quando engolido às pressas. Lá fui eu com meus 36 quilos de bagagem pegar o trem na Gare du Nord. Phillipe Gallet, o motorista da agência, com seu porte militar carregou o troço até o portão de imigração do Eurostar. Quando a sorte já minguava e eu me preparava psicologicamente para levantar a mala até a esteira do raio-x, eis que surge atrás de mim meu amigo sósia do Rodrigo Santoro, o então modelo e agora fotógrafo Renné Castrucci.

"Deus Provensi", disse, abraçando Renné. Como ele estava indo para Londres fazer um trabalho e voltaria à noite, não teve problema em me acompanhar carregando minha mala até o apartamento de modelos em Maida Vaile, perto da rádio BBC.

A cada ida a Londres ficava em um apartamento diferente. Morei em Holborn, Maida Vaile, Finchley Road, Seven Sister's, Westbourne Park, Covent Garden, Parsons Green e Barons Court! Barons Court era onde morava minha booker inglesa Sam. Numa destas idas e vindas de Paris, passei um mês na casa dela alugando um quarto. No primeiro dia encontrei Sam na agência e fomos juntas de carro até sua casa. Era noite, fomos conversando, trocando as novidades da vida e do trabalho. Ela mostrou rapidamente onde ficava a estação do metrô e como chegar no dia seguinte.

Mecanicamente levantei, tomei banho e fui escutando música até o local do meu trabalho. O editorial terminou perto das 8 da noite e, óbvio, acreditava que minhas pernas me mostrariam o caminho de casa. Cheguei à estação de Baron's Court e a vista que tinha pela manhã havia sumido. Qual era o nome e o número da rua mesmo? "Ah, é uma casinha branca de dois andares, quando ver vou saber, pensei..." Andei as duas primeiras quadras com a convicção de que o caminho era seguir pra frente; dobrei na terceira rua onde cada casinha dc dois andares se mostrava mais parecida com a outra. Voltei à estação pra me socorrer com um telefone público, já que meu celular estava sem bateria. Ligar pra quem?

Retornei à estrada até a terceira rua; nem tudo estava perdido, afinal ainda tinha um molho de chaves. De salto e manga curta, o vento já começando a me incomodar, enfrentei uma fileira de casas com alegria: a casa ficava de frente para o leste, então só poderia ser alguma da minha direita.

De porta em porta fui testando a chave: não entra, não gira, buraco errado, maçaneta não gira, porta errada, abriu uma, mas só porque tinha alguém saindo... Fui para a segunda rua sem perder a calma e comecei todo o ritual porteiro novamente. No final, um sujeito com porte de lorde achou estranho minha movimentação:

— Você perdeu alguma coisa, procura alguém?

— Estou procurando a Sam, ou, melhor, a porta desta chave, da casa da Sam!

— Sam? Que Sam?

— Sam é minha booker, uma loura, tem um carro daqueles vintage, sabe?

Não fazia ideia do sobrenome dela e muito menos do número pra ligar.

— Sorry kid, Sam é um nome bem comum por aqui...

Dei uma caída nos ombros e um sorrisinho, parti para a terceira rua. Já quase no final, parei, olhei para cima:

— Sério, seu Deus, você já viu que tenho paciência, agora por favor me dá uma luz for Christ sake!

Aquele mesmo Deus que tinha me feito tão feia queria me mostrar que eu tinha sorte; adorava fazer uns testes comigo – porque no final sempre providenciava o que eu precisava. Luz! Em um estalo lembrei que a parede do corredor de entrada era roxa. Na quarta rua, vi um homem descabelado segurando dois sacos de lixo saindo de uma das casas e lá estava ela: a parede roxa!

— Hey, hey, wait for Michi!

Ele me olhou desconfiado:

— Are you Michele? Sou o Dan, marido da Sam. Ela está bem preocupada porque você não chegava...

Você deve pensar que depois desta confusão toda eu fiz uma agenda e meus bookers viveram felizes para sempre. Não: por um bom tempo continuei sofrendo desta anomalia que autodiagnostiquei como Síndrome de Desprendimento de Informação. Não checava direito as datas dos voos, se o passaporte estava na bolsa mesmo... Demorou para eu entender a nunca confiar na tecnologia, a carregar sempre na bolsa um caderninho com os números da agência, booker, casa do booker, consulado do Brasil, central de atendimento do cartão de crédito em caso de perda ou roubo, e de alguém que pudesse me ajudar a resolver os problemas...

Em uma das idas a Tóquio, quando desembarquei em Narita, vi que não tinha anotado o número de ninguém para entrar em contato na agência – muito menos o endereço. O número a cobrar para a casa da minha irmã era o único que eu sabia. Cheguei às 16 horas, 4 da manhã no Brasil. Minha irmã Dulci primeiro me deu um sermão e depois, como sempre, resolveu o meu problema: ligou para a booker Milena em São Paulo, que atenciosamente passou os contatos. Pode soar arrogante, mas teve um momento que as viagens eram tantas que ir para Nova York ou ali no Jabaquara dava no mesmo.

Baron's Court, a charmosa rua de casas iguais onde morei com Sam e Dan, me pregaria outra peça. Não foi o episódio da chave que marcou mais aquele lugar, e sim o encantador senhor de cabelos grisalhos que viveu o mocinho sem nome nos filmes do Sergio Leone: Clint Eastwood. Dan era diretor de filmes de suspense e me apresentou alguns clássicos do cinema. Entre um filme e outro, contei sobre minha paixão pelo Clint. Sem nenhum tietismo, disse:

— Eastwood é figura fácil por aqui. Seu filho mora no final da rua: quando ele está na cidade, os dois vão ao pub perto da estação...

Todo dia eu dava uma espiada no pub e às vezes entrava; tomava um copão de cerveja preta especulando quem poderia ser o filho do Clint. Mas nunca encontrei nem pai nem filho. Ao menos descobri que cerveja preta era bom pra anemia...

Não fique triste: fique magra

"Eu tava triste, tristinho. Mais sem graça que a top model magrela na passarela."

ZECA BALEIRO

Uma modelo tem que ser muito forte psicologicamente para aguentar a pressão das medidas sem cair no desespero e cometer um crime – contra o próprio corpo. Durante uma viagem de trem para a costa da França, Cape Ferret, me surpreendi com o pensamento de uma francesinha de 4 anos. Ela puxava os cabelos da mãe, numa tentativa de fazer uma trança. Enquanto a mãe reclamava que doía, a pequena lhe arrancava as madeixas com um ar de quem sabia o que estava falando: "Il faut souffrir pour être belle". Ela já devia saber que as entrevistas de modelos falando que comem coxinha, brigadeiro, pudim, batata frita e nuuuuunca malham era tudo mentira. Muitas sofrem fechando a boca para as gostosuras do paladar, com dietas esquisitas. Ficam até magras, mas não necessariamente belas...

O general francês Charles De Gaulle certa vez disse: "Como governar um país que tem 246 tipos de queijo?". Governar é fácil – quero ver fazer dieta num país com 246 tipos de queijo! Era uma aventura aquelas gôndolas recheadas de queijos e seus cheiros nos supermercados de Paris. Nos tempos do apartamento da Marilyn no Boulevard Saint-German, eu acordava às 6 da manhã, tomava um copinho de leite fermentado e arrastava minha colega de quarto Fabiane Nunes para caminhar nos Jardins de Luxemburgo. Tá certo que ficava tímida com o batalhão de bombeiros correndo no frio, rosados de shorts e regata, mas, pra perder peso, o legal é começar cedo. Não importava o país ou o lugar: sempre dava um jeito de fazer o máximo de coisas caminhando – correr só de vez em quando; me diziam que engrossava as coxas.

Virei walkaholic. Em outra estada em Paris, morando novamente com a paranaense Lílian Kreutz na Rue de La Roquette, toda manhã subíamos a rua correndo até o cemitério Père Lachaise. Entrando pelo portão principal, corríamos entre os túmulos, dando bonjour para Chopin (cujo coração estava em Varsóvia), e, seguindo pela direita, saudava o jazigo mais visitado, o de Jim Morrison. Subíamos passando pelo túmulo de Edith Piaf, depois pelo muro dos Federados, onde os dirigentes da comuna de Paris foram fuzilados. Então descíamos mandando um beijo no túmulo todo sujo de batom do Oscar

Wilde (agora não pode mais beijar, a multa é de 9 mil euros), cortando pela esquerda até o Marcel Proust e descendo até a saída, não sem antes dar um adeus ao busto desgastado de tanto passarem a mão do pai do espiritismo, Allan Kardec – hoje, nome de um jogador de futebol.

Caminhar, correr e se exercitar são ótimos para corpo e mente. Mas, na saída da adolescência para a vida adulta, hormônios subindo e descendo escadas, muitas caíam na loucura: mil e uma dietas de secar em três dias.

Doutor Atkins, me salva?

Abacaxi! Fazer dieta era um abacaxi – minhas aftas que o digam. Morei com várias meninas que fizeram a dieta do abacaxi, trocando a janta ou almoço por suas fatias. Em Nova York, a mãe de uma gauchinha, que queria mais do que a filha que sua carreira desse certo, trocava suas refeições pela famosa receita de abacaxi com biscoito água e sal. Na Big Apple, além da dieta do abacaxi, convivi com a dieta do limão. Por precisos 20 dias, toma-se suco de limão em jejum, aumentando um limão por dia até chegar a dez limões espremidos, depois diminuindo um por dia até voltar a um no 20º dia – e chegando, obviamente, a uma gastrite.

Mas a mais popular no meu tempo novaiorquino era a dieta do caninho. Uma semana antes dos desfiles internacionais ou dos castings, algumas meninas, principalmente as já conhecidas e com conta bancária polpuda, faziam essa dieta, que apelidaram "de caninho", mas o nome certo é colonic.

Funciona assim: líquidos, só líquidos, três sucos por dia por três dias, estes especiais, preparados com misturas de frutas e legumes. Na Union Square tinha uma vendinha que fazia os tais detox. Por que caninho? É que a segunda parte tem duas versões: uma caseira e uma profissional. Na opção mais barata, em casa, na noite do terceiro dia, tomava-se um laxante e inseria-se um supositório. Nas clínicas o procedimento era outro: a paciente deita-se numa maca e uma enfermeira enfia um caninho em seu ânus, conectando-o à unidade de hidroterapia do cólon. Solta-se um jato de água quente filtrada no cólon, o que acaba por contrair os músculos e soltar as impurezas coladas às paredes do intestino. A pessoa sai da clínica com algum desconforto – mas há meninas que juram ter emagrecido seis quilos com a técnica.

Em São Paulo não tinha cano, mas tinha agulha. Uma moça na rua Teodoro Sampaio aplicava injeções de enzimas que deixava um cheiro de milho na pele. De longe se sentia quem tinha rolado na sessão do milharal. Ela também executava o tratamento "múmia sub-zero", enrolando a modelo em faixas geladas até a celulite pedir uma vodca pra se esquentar; na sequência, dá-se um choque térmico com compressas quentes, o que ativa a circulação. Tudo pra entrar no padrão de desfiles com 90cm ou menos de bundinha.

E os intermináveis remédios sem rótulos para perder peso? Tinha um que vinha da Bahia e dava uma taquicardia nas meninas – ninguém conseguia dormir. Chá de sene, lactopurga, chá do largo da batata, caldo de ameixa, água de linhaça e outros infindáveis métodos laxativos: todos circulavam pelos armários dos apartamentos das agências. Se tivesse teste antidoping de dieta esquisita antes das temporadas de desfiles, metade do casting seria pego com alguma substância proibida.

Era um festival de dietas desreguladas: dieta do ar (se você engolir mais ar com a comida, come menos), dieta das papinhas de bebê, dieta do sorvete (que inocência, não sei como acreditávamos que comer um pote de Häagen Dazs por dia emagrecia), dieta da proteína, dieta do ovo, dieta do abecedário, dieta do chuchu, dieta do verde, dieta das cinco garfadas, dieta da gelatina... Vi uma menina comer gelatina com maçã uma semana inteira – ao menos ela mudava as cores.

Não indico essas dietas, tampouco testei todas. Nada melhor que um nutricionista para orientar. Cada corpo é uma sentença. Ninguém é igual, e afinal, de que adianta ficar magra para trabalhar e gastar boa parte futuramente em médicos para curar as sequelas?

Jogar o salto pro alto: Freud explica

Com cinco anos de carreira, se os trabalhos estacionam chega a crise do "quero mudar de vida!" A maioria tem que largar a escola porque é difícil conciliar as viagens com os estudos. Mesmo terminando à distância, por supletivo, às vezes a falta do colégio dava um vazio.

Enquanto os amigos de infância estudavam, do meu lado eu enchia passaportes. Na volta pra casa sempre escutava piadinhas: "Estou me formando em Medicina, e você, já terminou o segundo grau?". Ou: "Deve ser difícil conversar entre vocês; modelos são todas burras..." Sem menosprezar os estudos, respondia que viajando se aprende muito e que eu tinha oportunidades únicas, bem diferentes das páginas dos livros. Como a vez em que fotografei para a revista do jornal *The New York Times*, na casa onde Sigmund Freud passou os últimos anos em Londres. Conheci seu sobrinho-neto, que, depois de uma longa conversa, autorizou a equipe a me fotografar deitada no famoso divã do pai da Psicanálise.

Mas estava cansada de tudo. Principalmente de ser tachada de burra. Apertei o botão do foda-se, joguei o salto pro alto e entrei em estado mental de férias. Tinha milhas sobrando e Carol Trentini, minha amiga dos tempos de Japão, me convidou para passar uma semana em Nova York na casa dela. Voltei à cidade que não tinha me acolhido bem pronta para mudar esta imagem. Depois de muito divertimento, nos três últimos dias Trentini disse:

— Migues, se arruma, vai? Vamos à agência!

Relutei. Milena, booker da Marilyn, antes da minha partida já tinha me alertado que a agência de Nova York estava me chutando para escanteio. Meu medo maior era ter que pagar a divida de 15 mil dólares que tinha deixado – adiantamentos de aluguéis, passagens, visto de trabalho e advance. Porém Carol insistiu, me emprestou uma roupa bonita e moderna e fomos para a Park Avenue. Metade da mesa de bookers tinha mudado; me senti menos constrangida pelo precoce chute na bunda. Educada como sempre, Cristine, que para as brasileiras era como uma mãe na agência de Nova York, me chamou:

— Sabe Mi, todo mundo gosta de você como pessoa aqui. Mas isso não é o suficiente para continuar a trabalhar com a gente. O mercado comercial por enquanto não te aceitou e viver de desfiles não funciona aqui. Sobre a dívida, sabemos o quanto se esforçou; por isso a Marilyn vai perdoar para você.

Abri um sorriso e engoli o choro: estava pronta pra voar novamente, feliz de não ter que ficar presa a uma dívida-gaiola.

Mas Cherry, chefe dos bookers, entrou na sala e mudou o tom da conversa.

— Não sei o que Cristine te disse, Michele. Eu e o Bob não sabíamos da sua existência e gostamos muito de você. Quando terminar a conversa com Cristine, pede pra o Kwok fazer umas polaroides novas para começarmos a te vender.

— Te disse, te disse, Mi! — Era só o que Carol falava. Fomos para uma churrascaria comemorar.

De volta ao Brasil, tudo estava confuso. Fiquei com medo de encarar Nova York de novo – mesmo estando em forma. Também não quis fazer o campeonato São Paulo Fashion Week. Assim, fui me aventurar na distante Cingapura. Por que não?

Chiclete com futebol

2006. Desembarquei naquele bafo do verão asiático e fui fazer a canina: reconhecimento do novo território. Tudo naquela cidade era muito limpo! O táxi, ao contrário de São Paulo, era barato. Sem ar-condicionado, ir aos castings no calor era bem desagradável. Levava muito tempo para me adaptar ao fuso horário, principalmente do lado asiático, mas Cingapura era a cidade perfeita para se ter insônia. Como era bom correr pelos arredores de Orchard Boulevard, com suas ruas cheirando a jasmim, naquele passo firme e tranquilo de estar em uma cidade segura.

Foi na minha temporada cingapurense que comecei realmente a gostar de futebol. As pessoas têm necessidade de se comunicar, mas em um mundo de trocas, onde não é seguro adiantar para todos muita informação sobre a sua vida, aprendi que o futebol é o melhor assunto para levantar os pilares de uma conversa – com qualquer pessoa, de qualquer classe, em qualquer parte do mundo. Deve ser por isso que não me dei tão bem com Nova York: não entendo nada de beisebol e aqueles montinhos do futebol americano. Morava com um fotógrafo chinês, uma canadense que saía de gloss do banho, uma russa que falava com o namorado no Skype sem roupa e com uma toalha na cabeça e uma alemã torcedora do Bayern que dividia o quarto comigo. Sarice Sbino, a alemã, me apresentou uma trupe de mexicanos da área de comércio exterior trabalhando por lá. Como não conseguia dormir, vestia por cima do pijama a camisa do Chelsea – que tinha ganhado em um desfile do patrocinador logo na minha chegada na cidade – e subia quatro quadras até a casa do Pako para ver os jogos da Liga dos Campeões. Independentemente se fosse noite de jogo ou não, ia dormir às 5h30, levantava às 9h30 e, quando tinha tempo entre os castings, tirava uma soneca de uma hora pela tarde. Sushi embalado um por um (tipo quilão), sorvete no pão, Yakult de litro e maçã – essa era a minha dieta, quando acordada.

A cidade do proibido: proibido beber na rua, proibido comer jaca no metrô (sério, tinha um cartaz com o desenho de uma jaca nas estações), proibido cuspir no chão e, o mais famoso, proibido comprar e mascar chicletes! Aí que a aventura começava: fim de semana livre, bora pegar um ônibus até a Malásia, país "chiclete free", dar umas voltas e comprar uma caixa para mascar todinha dentro de casa sem a repressão de ninguém.

Modelo, maquiladora e dançarina

Modelo gosta de viver em tribo. Pra saber que modelos circulavam pela cidade, mais fácil que ir a um casting de semana de moda seria botar o pé na areia nos sunsets de domingo na praia da ilha artificial de Sentosa ou se jogar nas baladas eletrônicas. Se em algumas cidades e ocasiões são os estilistas que escolhem as modelos para os desfiles, com stylists e produtores, em Cingapura é o coreógrafo. Cheguei ao meu primeiro ensaio de desfile rindo ao ver os modelos com caneta e bloquinho anotando tudo o que falava o coreógrafo, que se contorcia todo para explicar o jogo de cena e tinha uma pinta gigante no meio da testa. Iuri Heberle, único modelo que já conhecia no país, disse:

— Vai rindo! A hora que tu errar, vai entender o porquê de tanta anotação.

Quase uma viagem aos anos 1980: muito pivô, muita pose dramática em várias entradas diferentes – isso tudo em pleno 2006, enquanto o resto do mundo pedia pra modelo desfilar retinha e sem paradas. Quando alguém chegava atrasado o coreógrafo mandava parar tudo: "Aplausos para esta anta que acabou de chegar". E lá ia o menino para a lista negra de futuros cortes.

Na minha segunda semana em Cingapura já estava arrependida de ter largado as aulas de balé aos 7 anos. Teve um desfile em que ficava dando giros dentro de uma taça de champanhe vazia, com uma peruca desgrenhada verde e uma maquiagem de semáforo. Fora a atuação na passarela, outra coisa que me marcou em Cingapura foi que em alguns desfiles a própria modelo deveria fazer sua maquiagem e levar seu sapato (como nos Estados Unidos nos anos 1960), mesmo nos desfiles de marcas famosas como Jean-Paul Gautier. Em um trabalho, o cliente ligou puto para a agência reclamando: como podia uma modelo do meu nível não ter um par de sapatos dourado ou branco. Quando pensei em me aventurar por Cingapura, minha mala ficou recheada de rasteirinhas para passear no calor, só levei uma sandália simples preta de salto para os dias de casting. Além de levar maquiagem e uma cartela de cor de sapatos, se possível, era indicado não se esquecer da própria marmita. Era raro os clientes servirem comida; quando tinha, a modelada avançava de tal maneira que não sobrava uma migalha.

Um dos 45 desfiles que peguei em Cingapura foi inesquecível: um desfile de noivas transtornadas na estranha Jacarta. Viajamos para a Indonésia em 30 modelos. Enquanto esperávamos o visto, já tirado na chegada, dava para observar bem as fotos grandes na imigração dos últimos cinco condenados à pena de morte por porte de drogas. Jacarta era tão feia que nem me lembro mais de suas ruas. Ensaios, prova de roupa e, na hora do lazer, "bum!". Uma bomba explodiu em um shopping perto do hotel onde estávamos hospedados – por isso, ficamos trancadas três dias, até a volta.

Acha que é moleza, senta no pudim. Depois dos dois meses desfilando no calor é que fui entender o valor da moeda. Dos 49 trabalhos, descontados o aluguel e a passagem aérea, me sobraram 500 doletas. Chorei num banquinho no Botanichal Garden's minhas decepções para Iuri. Ao invés do cachê subir com os anos passando, cada vez eu ganhava menos. Iuri, o psicólogo temporário da ilha, me deu o melhor conselho:

— Tailândia é a um piscar de olhos daqui. Tira férias.

Tailândia antes do tapa-sexo

A princípio era para ficar uma temporada trabalhando na Tailândia, onde as morenas são as louras da vez. Confesso que fiquei frustrada com a renda que tive em Cingapura e resolvi cortar esta meta de minha lista. Já que estava do outro lado do planeta, por que não fazer a turista?

O rei do mercado asiático é o Japão. Na minha última ida, meu contrato foi quebrado na segunda semana; no final, só sobrou dinheiro para comprar uma bicicleta dobrável, que virou minha companheira rodando o mundo na mala. A China vem em segundo lugar. Tive apenas duas passagens rápidas de trabalho por lá, bookada direto por Paris, sendo uma com a federação francesa de cultura. Uma viagem cheia de compromissos culturais com direito a jantar na casa do cônsul francês na China; naquela época não falava francês, assim aproveitei que a comida estava boa – ficar quieta e sorrir foi meu maior ato de diplomacia.

A modelada diz que os melhores meses de trabalho na China são junho, julho e agosto; o pior é o de fevereiro, por causa do ano-novo chinês. Até 2008 a Ásia era dominada por modelos brasileiros. Depois da crise na Europa, o mercado foi invadido pelos franceses e canadenses de 16 a 24 anos. Para os comerciais, o volume de trabalho é melhor do que para os modelos conhecidos por "mix", mistura de asiático com qualquer raça ocidental. A China também é conhecida por ter o mercado mais puxado. Como os trabalhos são pagos por hora, a modelo trabalha horas sem parar para tomar água, comer ou ir ao banheiro. Só se para quando todo mundo para.

A modelo Bruna Del Bortoli, em um trabalho, não aguentou o tranco. A pressão baixou subitamente e ela desmaiou. Deram cinco minutos para a gaúcha reanimar a pressão sanguínea, até que pudesse voltar a fotografar os 300 looks de catálogo de pijama. No final da diária de trabalho, cansada e doente, foi obrigada a trabalhar para repor os cinco minutos de descanso.

O ponto bom da China é que os trabalhos são pagos pelos clientes diretamente na mão do modelo, que depois repassa a porcentagem para a agência. Nos outros mercados é ao contrário; às vezes demora-se até oito meses para pagar um cachê – tem desfile pelo qual não recebi até hoje.

Outro país para modelar na Ásia é a Coreia do Sul. Como no Japão, funciona por contrato. São regularmente 25 mil dólares, dos quais desconta-se depois 10 mil das despesas, aluguel, transporte, passagem, sobrando 15 mil para o modelo. Mas este tem que pegar cinco trabalhos em uma semana, senão o contrato é rompido. Na Coreia do Sul ganha-se bem, mas vale lembrar que o custo de vida é bem mais elevado que na China. Os castings coreanos são feitos de van e metrô como em Tóquio; o bom é que Seul tem 291 estações. E o visto da Coreia do Sul dura três meses. Para quem já fez temporada no Japão, Cingapura e China, outra opção é modelar em Hong Kong! É a Nova York da Ásia: funciona 24 horas, é o lugar onde a modelada mais é tentada a cair na balada.

As Filipinas, em especial Manila, também faz parte da rota asiática da moda. A cidade exibe placas como "Proibido a troca de SMS enquanto caminha-se". Os cidadãos andam olhando para o telefone e esquecem do trânsito, assim causando acidentes. O bom de Manila é que nos fins de semana a praia linda é um refúgio, e não faltam ilhas por perto. Alguns brasileiros modelos começaram a estudar a língua filipina e ficaram por lá apresentando programas de TV.

Índia, Vietnã, Indonésia (até em Bali rola alguns trabalhos locais – coisa boa, se você é surfista). Quem cai no mercado asiático facilmente se aventura com um mochilão entre uma temporada de trabalho e outra. Foi o que fiz na Tailândia após a estada de trabalho em Cingapura. Uma mochila e uma certeza: já que cheguei até o outro lado do mundo, por que não riscar algumas coisas da lista?

Na Tailândia o povo é simpático. A fé impulsiona o país e sua majestade é um cara idolatrado. Todo mundo para às 6 da manhã e às 6 da tarde para escutar o hino em homenagem ao soberano. Nas segundas-feiras, os locais vestem amarelo para homenagear o rei. Aviso aos modelos que não adianta usar amarelo na segundona para puxar saco dos clientes: é mico. Já no cinema é oportuno levantar quando passar o comercial do rei precedendo o filme, por questão de respeito, ou vão te jogar pipoca na saída, não importa se você é contra ou a favor da monarquia.

Depois de um fim de semana em Bangkok, fechei a mochila abarrotada de compras dos mercados tailandeses e fui sozinha rumo ao sul, Phuket, exatamente um ano após o grande tsunami. Tentei de tudo ao meu alcance para me divertir sozinha. Tomei banho de mar com os elefantes e por onde passava comprava um colar de jasmim: enrolada nele, depois de algumas horas eu era só perfume. Foram dois dias de silêncio. Apesar de conhecer muitos lugares diferentes, a vida de modelo pode ser bastante solitária. Às vezes, tudo o que eu queria era um amiga para cutucar e comentar a paisagem paradisíaca comigo.

Três dias depois, se juntaram a mim Krisztina Laczko, modelo húngara que conheci em Cingapura, e três caras. Um parente de um príncipe indiano, amigo de infância do cara que inventou o Hotmail e depois vendeu para o Bill Gates, um alemão com o braço quebrado depois de uma bebedeira na praia de Sentosa e um sul-africano que repetia incansavelmente "in Johanesbourg you gotta have a gun" – estava foragido da África do Sul porque não terminou de cumprir sua pena por ter matado um cara que jurava ser do mal.

De dia, muita massagem, praia e bote até chegar à ilha de Phi-Phi, onde minha criança interna gritou de felicidade ao ver que estava nas águas em que foi gravado o comercial da Coca--Cola com o elefante e o amendoim, que quando criança queria visitar, mas não tinha nem ideia de onde ficaria aquele mar azul sublime. Não importavam os perrengues por que tinha passado: estava vivendo um sonho e a profissão de modelo me tinha dado a chance de respirar aquele ar. De noite, lutas de muay thai e muita tom yum kung, aquela sopa apimentada deles.

Chutei o salto: afinal, na minha cabeça, estava pendurando o tapa-sexo (os jogadores de futebol penduram as chuteiras, nós modelos penduramos a desconfortável microcalcinha cor bege que não marca nos vestidos).

Terminadas as férias, fui direto para Nova York sem expectativa nem ânimo. Cheguei na mesa de bookers:

— Não tenho nada a perder. Não tenho um puto no bolso, estou nas mãos de vocês. Topo qualquer trabalho, cafona ou não, desde que pague as contas.

Kwok, o booker chinês, me entregou um papel:

— Vamos mudar sua aparência. Aqui está o endereço do cabeleireiro: ele sabe como queremos o seu cabelo.

Temporada de fama

"In front of the lens, I am at the same time: the one I think I am, the one I want others to think I am, the one the photographer thinks I am, and the one he makes use of to exhibit his art."

Roland Barthes

Se Andy Warhol estivesse vivo teria mudado sua expressão "15 minutos de fama" para "uma temporada de fama". Toda estação os fashionistas se vangloriam em descobrir a nova Gisele Bündchen, a nova Kate Moss, a nova Natalia Vodianova, a nova Raquel Zimmerman e por aí vai. Cada uma é lembrada e relembrada porque tiveram uma carreira construtiva, conseguindo sempre se manter nos holofotes. Porém apenas 3% do bolo das manequins fermenta e cresce. Não dá para querer cortar os pulsos porque você não virou a Carol Trentini ou a Fernanda Tavares: elas chegaram lá na confeitaria do topo com muito esforço e profissionalismo. No entanto, acredito que acima de tudo o sucesso vem ligado à estrela.

Para uma temporada de fama, tem que ter sonho, medidas, sorte, disciplina e um bom booker. Assim todo mundo pode! Eu tive duas em dez anos. A primeira quando era new face, apadrinhada pelos grandes estilistas japoneses, fotografada por Nick Night e David Baley. A segunda cinco anos mais tarde, quando desencanava do sonho de ser top e realmente pensava em pendurar o tapa-sexo para estudar Agronomia ou qualquer ofício que não ligasse para o tamanho da minha bunda.

Em Nova York entrei no apartamento do cabeleireiro indicado pela agência com os cabelos pela cintura, queimados pelo sol da Tailândia. Primeira coisa que perguntou: doaria minhas madeixas para o hospital do câncer fazer peruquinhas para crianças em tratamento? Respondi que sim, claro, mas não imaginava em que altura ele ia passar a tesoura. Percebi o tamanho da radicalização quando desci e o porteiro me olhou pasmo: "Yo, girl, what a change!"

Pintou meus fios de castanho escurão, raspou minha nuca e cortou o cabelo na altura da orelha. Daí por diante ganhei alguns apelidos como Amélie Poulain, Cabeça de Playmobil, Chicago Girl e Olívia Palito Fashion. Podiam até me chamar de Lego que não iria ligar: com o cabelo curto nem tudo que vestia antes ficava bem, mas tive que me reinventar e gostei de me ver e ser diferente.

Era uma época em que todas as modelos desfilavam seus cabelóns compridos pelas passarelas; fui no rastro da italiana

Maria Carla, que ressurgiu loura com as madeixas bem curtinhas, fazendo diferença nas passarelas. Chegando ao Brasil, levei um susto com o sucesso repentino e a notícia que havia se espalhado: quem tinha cortado o meu cabelo era o estrelado hair stylist Guido Palau. Chorei de raiva, mas a mentira já estava solta – naquela altura era melhor concordar. Meses depois, quando voltei para Nova York, descobri que o famoso Guido estava assinando o desfile do Narciso Rodriguez em que eu me encontrava no casting; pensei: se ele cortar meu cabelo agora, um dedinho que seja, vou matar a mentira. Parecia aquelas modelos chatas que só fazem o cabelo com o profissional que assina o desfile. Rondei sua cadeira e quando consegui sentar disse:

— Passa a tesoura!

Sem me dar qualquer importância, falou que não tinha o que cortar no meu cabelo. Fiquei com vergonha de contar toda a história da mentira e baixei minha cabeça, me dando por derrotada.

*

A temporada estrelada é aquela em que você abre e fecha os desfiles e chega duas horas antes de o desfile começar – ao contrário das regulares cinco a quatro horas –, dá um monte de entrevistas e até faz o desfile da Triton para cujo casting nunca tinham te chamado antes. Para alguns jornalistas e maquiadores, aquela era a minha primeira temporada. Mas havia muitos observadores que lembravam o quanto eu já tinha desfilado por ali. Gloria Coelho, Reinaldo Lourenço e Alexandre Herchcovitch sempre me bookaram para tudo, desde o começo. Esperava minha vez para ser maquiada no backstage do Herchcovitch quando ele veio conversar comigo, sorrindo:

— Michelli, quem gosta de você gosta de você: magra, gorda, com cabelo curto ou comprido.

Entendi o recado: seria difícil agradar todo mundo sempre. Levo aquilo comigo no trabalho e na vida. Quando a temporada de fama passou e meu composite voltou a ser mais um entre tantos no pacote, percebi o quanto era importante estar com a cabeça no lugar e não elevar o nariz se sentindo algo de maior importância. Porque tudo passa. A passarela também acaba... Às vezes a sorte está lá – mas ironicamente. Bem na hora de receber os cachês pelos numerosos desfiles, que, na minha temporada de fama subiram um pouquinho, o dono da minha antiga agência resolveu falir – e fugiu deixando muitos bolsos de skinny jeans a ver navios.

Não sou exótica, sou bonita

"I've been told if you want to make it in this game
got have the luck, got have the look."
The Libertines

A menina alta, a filha magra... sempre tem uma tia ou vizinha que diz: "Vai, menina, vai que você pode ser modelo!". O nariz corpulento, as sardas, dentes tortos, orelhas de ventarola, peito limãozinho, perna fina de palmito; tudo é bem-vindo nos meses de new face! Os clientes fashion adoram uma estranheza, e aquela imperfeição vira atributo a favor.

Antigamente tinha cachê A, B, C e special+. A new face ganhava o C, em média R$ 300 por desfile, a intermediária R$ 600 e a com mais tempo de carreira e prestígio, R$ 900. As top models, modelos conhecidas que fazem grandes campanhas, desfiles de grandes estilistas, editoriais com fotógrafos famosos e capas de revista, ganhavam o special+, R$ 1.200 pra cima.

Em alguns casos, beeeeem acima deste valor, negociado pela agência.

Deixa explicar: estes valores não caem inteiramente em nossas contas – as taxas de porcentagem, tanto da agência quanto de impostos, mudam em cada país. No Brasil, 70% ficam no bolso do modelo; nos Estados Unidos 50%, na Alemanha 80%, na Espanha 80%, em Milão 60%, no Japão 60% – e no país do glamour, a França, apenas 30% vão para a modelo.

*

Depois de alguns anos subindo a ladeira fashion, dando muitos pivôs a cada degrau para o meu cachê chegar perto do special+, foi na hora da minha esperada ascensão que tudo virou leilão. A fábrica de sonhos fez a concorrência aumentar e os preços baixarem. Num casting onde iam 30 modelos hoje vão 100! Alguns estilistas começaram a fechar desfiles com uma única agência, fazendo os famosos "pacotes": o estilista escolhe meninas de uma agência, todas pelo menor cachê; dependendo da negociação, levam uma ou três mais famosas, que também terão seu cachê diminuído. Algumas fazem trocas: te dou uma modelo famosa pelo cachê menor, mas você tem que pegar duas new faces. Pode até ser um negócio agradável entre agências e clientes, mas as modelos sempre saem perdendo. E isso é só uma pequena fatia do bolo que levamos. No final do dia, parece bolsa de valores, que descem e sobem: a multiplicação da concorrência faz os cachês desvalorizarem. O mercado da moda vira uma selva onde a juba do leão não importa: todos buscam a sobrevivência – algumas vezes, de maneiras, digamos, não tão bonitas quanto as capas de revistas.

Passadas as longas temporada de desfiles, o que todo mundo quer naturalmente é dinheiro. De que adianta estar em Paris e não poder pagar a entrada do Louvre?

Ah, os paradoxos da moda, o famoso "eu quero o que você tem porque só o meu não me basta". A modelo comercial (aquela com mais curvas e simetria) quer fazer desfile e ser famosa como a fashion, que... depois de cansar de enfrentar uma temporada sem muito desfiles, quer ganhar dinheiro como a modelo comercial, e trocaria todo o glamour da haute couture pra pegar aquela publicidade de xampu bem clichê, em que a modelo, cheia de aplique, sorrisos e ondas perfeitas, passa a mão nos cabelos fazendo uma cascata de fios de seda.

E quem está no meio do elástico entre o fashion e o comercial? Coragem para encontrar o ponto de equilíbrio. MAGRA, MAGRA, MAGRA... Pra ser fashion tem que ser magra! Lógico que, de tempos em tempos, reina a exceção – como a da talentosa de dentes separados e, digamos, mais "encorpada", Lara Stone. Outro exemplo na gringa foi a temporada em que a Louis Vuitton colocou na passarela mulheres que para a moda são consideradas "mais velhas", de 28 a 38 anos, com corpos curvilíneos e mais recheados, muitas já mães: mulheres de verdade! O mundo da moda em relação às modelos é como a criança que não sabe o que quer e um dia quer tudo. Quem tiver paciência de esperar seus ciclos ganha mais chance de ver a Madame Sorte bater à porta.

Teve uma época em que fazer catálogo da Victoria's Secret – que aliás paga muito bem – era só para as modelos comerciais que estampavam as revistas masculinas de biquíni à gostosona, tipo *GQ*, *Maxim*, *Sports Illustrated*... À parte as supermodelos tipo Gisele, dificilmente estas seriam vistas desfilando em Paris. Até o encantado Dia das Gostosas, em que uma stylist inglesa resolveu colocar a brasileira Alessandra Ambrosio, no auge do seu corpão de mulher, na capa da revista-conceito *Love*. Daí tudo mudou. O legal era ser gostosa mesmo e colocar as meninas de beleza classuda comercial nos grandes desfiles como Givenchy, Prada, Balenciaga – até então repletos de magrelas esquisitas vindas de algum país frio.

O problema de ser muito fashion é que o carão de tranquilidade e confiança na passarela não é o mesmo na hora de pagar as contas no fim do mês: carão no chão! Tem que fazer muito desfile pra ganhar um dinheiro bom e aproveitar os minutos de fama pra abocanhar as grandes campanhas. Nem que você queira, não dá para fazer só desfiles por muito tempo. Chega a hora em que o cliente quer novidade. Se você não estiver bombando nos editoriais de revistas, em vez de dar um simples e preciso "não" ele começa a dar mil desculpas: "Não, fulana tá velha, tá passada... é muito coxuda... ah, o corpo tá bom, mas a cara tá inchada... a bunda é muito empinada... o quadril tá muito grande... ela é soooo last season... o cabelo não tá bom... ela está desarmoniosa... já usei ela demais... ela tá cafona... a pele tá ruim... acho que ela começou a dar e alargou o quadril... deu uma embuchada..." O booker tenta te defender, mas depois passa o recado de forma educada: "O cliente já te conhece, falou que não precisa te ver!".

Claro que nem todos os sapatos vão na mesma prateleira. Há muita gente educada, de bom senso e que sabe ser colega na moda. Infelizmente, alguns cometem os deslizes da chacota alheia. Tentar filtrar o ego dos outros e lembrar que quem está no mundo está sujeito à discórdia ajuda a não levar para o lado pessoal nem mágoa para casa. Para meu pai, eu era perfeita; para muitos clientes, também era perfeita – para aquele trabalho específico. Como quando Alexandre Herchcovitch me escolheu para estampar sua campanha de lingerie – quando eu mesma tinha vergonha de me ver de sutiã e calcinha.

Naquela tarde, num estúdio na Vila Olímpia, cruzei com Barbara Fialho. Era o primeiro trabalho da mineira. Olhei para sua franja torta no meio da testa e seus dentes então desalinhados, apontei para mim e depois para ela:

— Nós, as exóticas, trabalhamos muitooo...

Nem consegui terminar a frase. A amabilidade no olhar verde da morena foi embora e eu não compreendia o quanto o fato de chamar alguém de estranha poderia ofender. Bárbara se sacudiu, confiante:

— Exótica? Não sou exótica; eu sou bonita!

Fitei o cabeleireiro Celso Kamura, que começou a rir:

— Nem vem: a senhora é exótica, sim!

Repousei meus olhos no espelho. Não tinha nada de óbvio ali. Como uma arte abstrata que todo mundo olha e vê um elefante, enquanto só o artista reconhece que pintou um tamanduá-bandeira. Naquele momento, não entendia meus traços. Kamura escovava meus cabelos e eu desabafava:

— As estranhas trabalham, mas quem ganha dinheiro são as bonitas...

Certa estava a Barbara, desde cedo confiante. Hoje vejo a exótica de antes toda prosa no grande desfile anual da Victoria's Secret e penso: virou um cisne.

Vai, perua, sem "pipipipi"

"Se todos tivessem sido feitos da mesma forma, não haveria tal coisa chamada beleza."

CHARLES DARWIN

Bianca Klamt, a mulher mais linda que já saiu do Maranhão, veio com o papo:

— Michelli, você tem que se arrumar mais perua para ir nos castings de campanhas de comercial: dinheiro chama dinheiro!

A primeira imagem que me vem à cabeça quando imagino uma modelo comercial é Bianca de biquíni sorrindo em alguma praia maravilhosa.

Sorrir, sorrir. Quem ganha dinheiro é a bonita e a bonita é só sorrisos com aqueles dentes reluzentes. Em nove anos de carreira, se eu tinha feito cinco fotos sorrindo era muito (Japão não conta: feio ou bonito, tudo é sorrindo). O fotógrafo falava: "Vamos tentar uma foto sorrindo?", eu sorria; aí ele dizia: "Hum, acho melhor séria mesmo...".

No mercado publicitário, onde está a maior parte do dinheiro, ter sido feita na fôrma das perfeitinhas facilita o retorno financeiro; quem não nasceu com o biótipo comercial, imposto pelo universo da publicidade, usa atributos artificiais para desentortar a fôrma. Só quem tem um carro de luxo sabe quão mais cara é a oficina: custa alto estar e chegar nos "padrões de beleza". Drenagem, dermatologista, silicone aqui, botox ali, lipoaspiração, academia (quem pode tem personal trainer), nutricionista e outros tantos auxílios em prol da beleza: impossível uma modelo deixar de usar algum desses itens em sua carreira. Claro: muitos serviços as agências conseguem com permuta – como um bom cabeleireiro.

Tinha alcançado muitas coisas através da minha androginia, não queria desentortar minha fôrma, lutei contra o cirurgião que operou meu desvio de septo que insistia que eu devia fazer uma plástica no nariz, que era desarmônico em relação a meu rosto. Amo meu nariz de italiana! Porém ficava frustrada por não pegar os castings de vídeo – além de não curtirem meu sorriso, ninguém entendia o que eu falava.

Entrei numa aula de TV e o professor me aconselhou uma fonoaudióloga. Sempre digo: quando conheci Patrícia Antoniazi, mudei minha vida fazendo caretas. Não imaginava que contorcendo meu rosto de maneira que assustaria qualquer candidato a namorado eu iria ficar mais bonita. Cheguei a ela pela queixa de não gostar da minha voz, nem de minha fala infantil, e fui atropelada por um caminhão de problemas – com suas devidas respostas.

O diagnóstico: "Alterações nas funções do sistema estomatomatognático, sendo elas: respiração, mastigação e deglutição, mais disfunção da articulação temporomandibular, com dor e desvios mandibulares e alguns sinais e sintomas do distúrbio do sono; entre eles, bruxismo".

A alteração oclusal de mordida prejudicava toda a simetria da minha então exótica musculatura facial, o que ocasionava uma fala imprecisa (o que Zeca, o diretor da agência, chamava de "voz de pi-pi-pi-pi-pi") – e uma desarmonia fashion no meu rosto.

O problema era tamanho que Patrícia me indicou uma avaliação odontológica. Para a minha surpresa, também me aconselhou uma fisioterapeuta. Todos aqueles probleminhas, mais a bolsa pesada de modelo com book, salto, mapa, carteira, livro, maquiagem, meu bloquinho de escrever e ocasionais lanchinhos, me deixaram com um desvio na postura. Hoje, o peso é menor: os tablets substituíram os books e os pesados guias de ruas.

A agência me encaminhou para o Ateliê Oral, onde conheci o doutor Aragão, especialista em disfunção temporomandibular. Sempre bem-humorado, doutor Aragão me passou um diagnóstico maior ainda – com direito a prováveis ovários policísticos e muitas dores nas têmporas, porque mastiguei a vida inteira somente com o lado direito. Quem procura acha. Resolvi tratar tudo com minha Super Liga. Doutor Aragão me fez um aparelho para reprogramar a musculatura do rosto e Pati pegou pesado nos exercícios de lábios e respiração. Conclusão: respirando melhor, agora com fôlego, resolvi cantar – e, como tinha fôlego para chegar nas notas altas, percebi que finalmente poderia aprender a nadar! Ufa!

Alguns meses depois, peguei três trabalhos seguidos sorrindo. E sorria de verdade: é muito boa a sensação de sorrir e ainda ser paga por isso. As pessoas começaram a me perguntar o que tinha feito para estar mais bonita – leia-se "modelo comercial" –, se tinha colocado botox para inflar meus lábios...

Sempre que você ler alguma entrevista de modelo fazendo a linha Gabriela – "Eu nasci assim, eu cresci assim, eu sou belaaaaaa" –, pode saber que tem sempre um dedinho de um profissional ali: dentista, esteticista, dermatologista, nutricionista... Ista, ista, ista, pra ficar bonita, invista! Não tinha virado uma travesti, mas não sei como seria se não fosse modelo. Aprendi cedo a cuidar de mim mesma, muitas vezes fazendo tudo errado para ter uma resposta rápida. Talvez nunca tivesse cortado a franja outra vez, corte que mantenho desde os meus 3 anos...

Michi à milanesa

Falar de vida de modelo sem passar por Milão é como falar de futebol e não citar o Maracanã. Na terra das sonoras senhoras lambretas, deixei de lado o metrô e fui disputar espaço nas ruas com minha bicicletinha. Pedalando sem ligar para o aumento ou declínio da temperatura e nem aí para os muitos palavrões dos milaneses a caminho dos meus castings. Os prós de fazer os castings de bicicleta: dava para sentir melhor a cidade, economizar dinheiro, e o exercício diário ficava garantido. Os contras... Ma dai, ragazzi: se fui atropelada duas vezes com la bicicleta mia, uma vez em Nova York, por um táxi, e outra em Paris, porque enrosquei o salto alto na correia, em Milão o problema não era os acidentes: a agência argumentava que a bicicleta me deixava coxuda.

Milão é a cidade onde durante a semana de moda os locais de castings são os mais lotados. Só se veem modelos circulando nas ruas. Parecem avatares multiplicados que trocam olharzinhos tipo "oi, eu sou modelo também". Como tem estilista! É casting que não acaba mais: é chegar cedo no primeiro, correr em direção da lista e ver que sua ordem de chegada é a senha 124! Não dá para esperar em época de desfiles. É deixar o nome no primeiro e partir para o outro apontamento não tão abarrotado, que com sorte você é o numero 53 da fila. Enquanto o 53 não chega, melhor passar no casting da rua de trás, que a colega falou que está vazio. Faz o casting, volta no 53 e... epa, normal, passaram na sua frente. Espere: leia mais alguns capítulos do seu livro; depois de uma grande espera, chega sua vez... mas o cliente decide uma pausa para almoço. Para não perder seu valioso lugar, come-se ali no chão mesmo um panini que você comprou entre uma fila e outra. Você tinha mais três apontamentos, mas decide correr primeiro para a senha 124, sua booker disse que era o mais importante. Correndo com o mapa na mão, preocupada em achar um lugar discreto para trocar o sapato, de nada adiantou a pressa: ao chegar lá, viu que já fecharam o casting. Histórias muito frequentes para quem não tinha como pagar motorista na época dos desfiles. Sonhava em poder ter um motorista só para não ter que ficar trocando de sapato.

Ai, Armani, por que fui largar a escola?

Nada no mundo se compara ao casting do Giorgio Armani. A primeira coisa que vem à cabeça é: "por que não estudei?". Nem é necessário procurar o número da Via Borgonuovo pra saber onde é o casting. Parece dia de matrícula em escola pública de São Paulo: uns com o book na cabeça, outros sentados sobre ele, no meio-fio. E na cansativa e tumultuada espera, alguém grita: "Book não senta!" Nada de colocar seu book sobre uma cadeira para guardar lugar para a amiga, nem deixar sua mãe guardar lugar na fila. Os espaços são disputadíssimos. Depois de pegar a senha, melhor esperar esperta. Se seu número passou, não adianta reclamar: bora pro final da fileira. Para as meninas, davam um vestidinho preto justo, entravam de cinco em cinco moças, desfilavam à sua maneira para o Armani, que acompanhava tudo de perto. Num paredão, o famoso designer escolhia quem gostava para tirar polaroide. Quem sobrava saía com uma fumacinha no olhar: "Temporada que vem, tento outra vez..."

Já os meninos eram fluxo de boiada mesmo. Entravam todos os que estivessem por ali, cerca de 150 modelos, e sentavam numa arquibancada na sala. Depois que a galera estava tranquila e com fome de tanto esperar, entrava sua majestade o rei Giorgio e sua equipe, que sentava-se do outro lado da arquibancada. Com aquela gana de pegar o trabalho, todos os modelos cumprimentam num coro harmônico e alto: “Ciaooooo Giorgio”. Simpático, ele sorria e acenava de volta para a plebe. O casting começava por ordem de chegada: cada um passava caminhando na frente dele, enquanto Giorgio recebia seu composite de um assistente. O modelo para no final da passarela, faz aquele olhar conquistador para foto e sai sem dar tchau. Simples assim. Pode ser um pouco tedioso, mas, ao menos, com o Armani todo mundo tem chance. Ele é de fato muito democrático no casting: escolhe os modelos pela maneira como andam, por sua postura e de acordo com seu perfil, ao contrário da maioria dos estilistas, que olha o book primeiro ou o ranking do site models.com, para ver se você está estampando as capas ou os editoriais importantes do momento. Outra coisa legal sobre o Armani é que ele é superfiel com seu casting: algumas meninas no backstage desfilavam para ele pela décima vez.

Valeu a pena a espera na fila. Peguei o desfile!

Seriam dois desfiles, um para a imprensa e outro para os compradores. Meu look tinha um chapéu gigantesco. Na pressa, o colocaram errado na fila – estava na horizontal, não na vertical. Resultado: como a boca de cena era estreita, ao passar meu chapéu despencou. Na volta, furioso, Giorgio me deu um chacoalhão: "Bambina, che cosa fai?".

Fiquei triste; não tinha sido minha culpa. O assistente foi explicar que o erro havia sido do staff. Logo o rei Giorgio mandou um mensageiro gentilmente pedindo desculpas. Por isso ele é aquele estilista personalidade com que todo modelo quer tirar foto no final do desfile. Quando se vai a Roma, o suvenir mais disputado pode ser uma foto com o papa; em Milão, é com o Giorgio.

Os modelos Christopher Meireles e Rafael Carvalho, em sua primeira temporada em Milão, queriam de toda forma fazer o seleto desfile – mas perderam o horário do casting. Passava das 9 da noite quando chegaram à Via Borgonuovo dando de cara com a porta fechada do número 21, onde fica o teatro-escritório. Os dois saíram em disparada do aeroporto na expectativa de pegar a fila do casting. Rafael encheu os olhos de lágrimas de cansaço e desapontamento. Christopher, com aquele jeitão de político, o tranquilizou: tudo tem uma segunda chance. Rondaram a porta um pouco mais e, frustrados, foram caminhando rua abaixo. De repente, do número 11 da Via Borgonuovo saiu, acompanhado de seus chiquérrimos seguranças, o próprio Giorgio Armani. Cris atropelou sua vergonha e foi confiante em direção ao objetivo: fazer o casting. Os seguranças tentaram evitar sua aproximação, mas Giorgio, curioso, quis ouvir o que aquelas pobres criaturas belas de 1,80m tinham a dizer.

— Desculpe, meu nome é Christopher, este é o Rafael, somos modelos e acabamos de chegar de Roma, onde estávamos fazendo um teste para televisão. Sei que o casting já fechou, mas gostaríamos muito de ter a oportunidade de fazê-lo, como os outros. — Até hoje não sabem se foi o discurso do Cris ou a cara amassada de choro do Rafa que fez o Armani abrir novamente a sala de casting. Incrédulos e felizes, deram uma desfiladinha e tiraram polaroides. No dia seguinte, a agência confirmou a dupla para os desfiles de Giorgio Armani, Empório Armani e Armani Jeans.

A afilhada da travesti

Modelo é como formiga: onde tem uma, tem duas, mas não da saúva; esta tem muita bunda! Três endereços em Milão onde encontrar o bonito formigueiro: Via Porro Lamberthenghi, Via Málaga (maior concentração de modelos masculinos) e Via Pola. Passei pelo primeiro e pelo último endereço, mas de um nostálgico passado me vêm memórias da Residence Pola. Na chegada, fiquei sozinha em um quarto pequenino do flat. Aquelas paredes rosas não me deixavam dormir; sentava na cama e escrevia a noite toda, de manhã lia – e geralmente não gostava das minhas escrevinhações. Pra que guardar o que não se gostava? Rasgava e jogava tudo fora.

Duas semanas depois a Elite, minha agência de Milão, pediu que eu trocasse de quarto e me instalasse com as brasileiras. Como fiquei aborrecida! Como aguentaria minha insônia dividindo um quarto pequenino com alguém? Ia ter que escrever no corredor! Mal tinha amarrado meus emburramentos e descobri que o tal apartamento era o maior do prédio: dois quartos, banheiro, sala, cozinha, uma varanda – e ficava na cobertura. Tinha uma TV que, nas madrugadas, por interferência do sinal de alguém da vizinhança, passava os jogos do campeonato brasileiro. Mesmo com aquele chiado todo, sempre aparecia um modelo masculino pra ver a bola rolar. Uns traziam violão, outros pediam pizza como se estivessem em casa, e sempre sobrava um indivíduo adormecido no sofá quando a casa acordava.

Morei com três meninas, todas mais novas que eu: Bruna, de Curitiba, Marina D., do Rio de Janeiro, e a gaúcha Mariana C. Só a ruiva Marina não precisava fazer dieta. Nós tentávamos, mas no final de tarde sempre rolava um pote de creme de nociolla ou alguém que fazia brigadeiro de panela. Sempre tinha uma que se arrependia e saía para dar uma caminhada e tirar as calorias.

Em uma tarde rotineira aparece Bruna com uma sacola cheia de presentes. Perguntei: "Pegou o advance e já fez compras?". Ela respondeu, misteriosa: "Menina, tu nem sabe..." Anoitecia, acabavam os castings, e, na volta pra casa, saindo pela estação Gioia, passávamos pelas ruas onde ficavam travestis encostadas no capô de Mitsubishis e Ferraris. Às vezes alguma mexia com a gente. Bruna, loura, branquela, pele de porcelana, o céu dentro dos olhos, sempre ganhava um "ciao, Barbie!". Não é que numa dessas voltas pra casa duas travestis a chamaram para tomar um café? Bruna contou toda sua vida, seus sofrimentos e seus anseios, chorou as pitangas, goiabas, jabuticabas e tudo que tinha direito para as travas – que, comovidas, a adotaram e levaram a bambina bionda para fazer shopping. Bruna arrumou duas fadas-madrinhas travestidas! Da mesma maneira como arrumava encrenca brigando com as meninas, com aquele jeito de moleque durão da periferia de Curitiba, conquistava todo mundo com sua beleza, fazendo alguns até de tapete e poltrona. Como o chinês Nick, que um dia encontramos na rua por acaso. Abobado de tanta beleza, pediu para Bruna seu telefone. Não falava inglês direito, Bruna tampouco falava chinês ou italiano. A conversa era sempre bem franca e direta. Bruna nada dava, mas ganhava tudo o que pedia. A conversa se resumia a "Voglio pizza, voglio Playstation, voglio patins, voglio andare a Venezia!". Ela era aquela lolita que se divertia com o estrago que causava sua beleza. No ano seguinte, Bruna voltou para casa e engravidou.

Hollywood com pizza

Nos finais de semana Milão virava um tédio. Depois de ter visto tudo o que o passado deixou para os turistas, quando até o restaurante fecha para o almoço e o cinema é dublado em italiano, não sobra nada além da criatividade – e com ela a gente se virava.

Como sabia que minha família vinha de Bergamo, tinha muita vontade de visitar esta cidade. Chamei Marina Dreux mais duas amigas de outras agências, Karol Amaral e Vanessa Gram, para pegar o trem à cidade vizinha. Logo na chegada encontramos uma pequena exposição com um simulador de esqui da Olimpíada de Inverno de Turim – e rapidamente notamos que não levávamos o menor jeito para esses esportes. Algumas voltas na cidade baixa depois, procuramos o caminho para a cidade alta – não era o Kilimanjaro, mas que baita subida! Adoro caminhar, porém as meninas não dariam conta. Coloquei o plano B em ação: enquanto as meninas se escondiam atrás do tronco de uma árvore à beira da estrada, estiquei meu polegar. Operação bem sucedida: um menino parou seu Fiat vermelho e pedi carona com aquele italiano quebrado da colônia. O ragazzino me mandou entrar, somente quando abri a porta avisei o moço que onde cabem dois, cabem cinco. O moleque não entendeu nada na hora em que viu aquele bando de magrelas surgindo de trás de um tronco. Acima e avante: só pedi pra ele parar em algum lugar em que serviam uma boa polenta. Me familiarizava tanto com a iguaria que quando estava anêmica nem fazia exame: sabia que a ferritina no sangue caía porque eu ficava no mesmo tom amarelado, cor de polenta. Foi na terra dos polentones que surgiu nossa bizarra ideia de subir todos os campanários de igrejas para tocar no sino... Foram milhares de degraus. Em algumas igrejas isso era um ato clandestino, mas, por impulso da idade, não nos julgávamos fora da lei e lá partiram as magrelas rumo às badaladas da torre. Lá pela terceira igreja, na hora em que estávamos agarradas ao sino prontas para fazer uma foto, as cinco badaladas começaram: pemmmmm, pemmmm, pemmmm! Pendurada na corda, Marina levou um susto e quase caiu. Fuja que o padre vem aí!

Voltamos à estação de trem, onde Karol teve a ideia de parar num cyber café para checar a previsão do tempo em Milão. Enquanto lá estava nublado, em toda a redondeza tinha sol. Sorrindo, Karol apontou para Verona: cinco graus a mais, pra que voltar para Milão? Nisso o moleque da carona ligou para alguns amigos contando sobre quatro modelos brasileiras perdidas na cidade e resolveu nos escoltar. Insistiram em nos acompanhar, não importava o destino. Tudo bem, ragazzi! Vocês vão de carro na frente, a gente segue de trem. Enquanto seguimos para Verona, os meninos partiram para Veneza...

Ninguém tinha dinheiro para pagar o hotel nem estávamos afim de procurar um albergue. Caminhamos sem rumo, passando por um prédio antigo onde alguém tocava piano. Seguimos a música subindo a escadaria no escuro. Coladas ao feixe de luz que vinha por debaixo da porta, ficamos algum tempo sonhando com o que acontecia naquela misteriosa noite em Verona.

Uma hora a ebulição dos hormônios do descobrimento de lugares novos acabou caindo e fomos dormir em uma praça, sempre com uma fazendo vigília de uma hora para as outras, sonhando com a vida de Julieta Capuleto. O som das garrafas chutadas pelos bêbados e a dureza nas costas deixada pelo chão de concreto nos serviram como pontual despertador para descobrir uma cidade vazia amanhecendo. O estômago também alarmava. Encontramos um café de madrugadores com alguns viajantes dormindo nas mesas. Um senhor, escutando nosso papo em português, sentou-se conosco e pôs-se a soltar anedotas do cotidiano veronense. Não tardou até surgir o convite para um passeio pelo amanhecer de Verona. Suas pontes se debruçando sobre o rio Ádige nos convidavam a ir e vir num circuito de turismo sem planejamento. Das 5 às 8 da manhã Verona foi só sorrisos. Nem um par dos nossos All Star se aquietou antes do encontro com a casa de Julieta. Inspiradas pela peça romântica de Shakespeare, éramos quatro Julietas sem nenhum Romeu à vista. Mas nem por isso deixamos de sonhar: pedimos a sorte de um grande amor esfregando o peito esquerdo na estátua da Julieta Capuleto. Vai que...

De volta a Milão, domingo era dia de pizza e filme na boate Hollywood. Antigamente, os promoters da casa organizavam uma sessão dominical para chamar os modelos na cidade – comida e pizza de graça eram a isca perfeita para fazer novos contatos. Entrar na Hollywood e não encontrar jogador de futebol ou modelos é quase impossível. Entre um drinque e outro dava para esbarrar em alguém com quem você cruzou à tarde naquela espera de mais de duas horas num casting. Tinha até o funk da boate: "Quando chego lá na Holly a parede é só minha/ depois de umas bebidinhas eu me perco e solto a linha..." Hollywood era o lugar de que todo mundo falava mal – mas queimava a língua indo todo domingo.

Não frequentei as rodadas de pizzas da Holly; minhas tardes de domingos eram adoçadas pelos sorvetes da Chocolat em Cadorna. As meninas acreditavam que as pizzas e os gelatti do fim de semana podiam ser notados pelo aperto no tapa-sexo – sim, aquela calcinha cor de nada, cor de pele desbotada em formato de T, que nos faz índias da tribo, não marca tecido. Como é desconfortável! A primeira vez que me pediram para usar um pensei que fosse aquele usado por passistas de carnaval, adornado de lantejoulas. Não saí sambando, mas desfilando com aquela tirinha me incomodando no meio da bunda.

Equivoca-se quem pensa que só as meninas usam tapa--sexo: os modelos masculinos também não escapam. Certa vez, durante um casting da Calvin Klein em Milão, o cliente pediu para que os meninos vestissem o tapa sexo e desfilassem. Um belo modelo brasileiro, não entendendo a funcionalidade do tapa-sexo, viu que tinha a etiqueta na parte maior e, pensando que a etiqueta fica sempre na parte de trás, vestiu o tapa-sexo ao contrário, deixando a parte maior na bunda e a pequena tira em formato T na frente – levando o maior trabalho para esconder seu órgão viril. Foi só começar a desfilar que seu membro se mostrou em toda a sua glória, deixando boquiabertos os clientes.

O coração do cabide

"Jamais poderia trabalhar com um manequim de madeira; trabalho desenrolando o tecido sobre a modelo – eu preciso de manequins que me inspiram! –, girando ao redor dela, fazendo-a se mover até o instante em que tenho a ideia do vestido ou do terno... Na única coleção em que me perdi, um fiasco total, não tinha boas modelos: não estava inspirado."

YVES SAINT LAURENT

Quando as estrelas desfilam seus vestidos emoldurados nos tapetes vermelhos das premiações de cinema mundo afora, ninguém imagina quantos corpos antes se envolveram na busca das perfeitas medidas para o balançar simétrico das caudas em direção dos flashes. Foi trabalhando dentro das grandes maisons de Paris que entendi a razão do custo tão elevado de certas roupas.

Tinha certa fobia ao ver um corselete. Ficava sem ar só de lembrar o dia em que desmaiei na avenue Montaigne, no ateliê da Nina Ricci, durante os fittings pré-prêt-à-porter da marca. Vestiram-me um corset e, enquanto um segurava meus braços para o alto, dois apertavam as tiras nas costas. Ninguém me perguntou se eu estava conseguindo respirar: não me lembro de mais nada, apenas desfaleci entre os alfinetes.

Durante o mês de abril de 2008, depois de provar um corselete inflando os peitos e levantando a postura, virei modelo de prova número 37 na Maison Yves Saint Laurent. Meu corpo foi apelidado de "stockman 37" – um manequim de madeira famoso nos ateliês de alta-costura –, pois media 36 no busto e 38 no quadril, número perfeito para usar os vestidos de festa. A modelo da Maison YSL, há cinco anos, era Helen T., uma australiana de cabelos curtos um tanto mais magra que eu e perfeita para as provas do prêt-à-porter. Como Helen era magérrima, fui escalada para fazer as provas da "capsule", os vestidos do crème de la crème del cremucho, do ba-ba-do: para a dama que realmente pretende ser a mais elegante da festa.

Toda grande Maison tem uma "manequim-cabine": nenhuma peça-piloto vai para a produção sem antes passar por seu corpo. Além de ter o corpo nas medidas perfeitas para cada estilista, a modelo de prova tem que ter disciplina e bom humor para aguentar horas e horas de pé em cima do salto, sem se mover, muitas vezes vestindo apenas um tapa-sexo no meio da sala movimentada de costura, sempre esperta para ajudar costureiros, modelistas e estilistas na construção e reparo de erros das peças. Ela é a alma da futura roupa: tem que saber se a cava está baixa ou alta demais, se o cavalo sobe ou desce, se precisa acrescentar dois centímetros na manga, se a gola é confortável, se a malha pinica... Não é fácil encontrar uma modelo com essas características, que se proponha a abrir mão de ser vista com frequência nas revistas, catálogos e desfiles: para fazer uma coleção, o estilista precisa de você quase em tempo integral, impossibilitando os castings para outros trabalhos. Por isso muitas maisons optam por fechar contratos de temporadas ou até anuais quando encontram sua modelo perfeita, e esta se torna sua funcionária fixa.

*

Nessa época em que estava sob contrato, a rotina batia cartão. Saía do metrô *Alma Marceau* correndo: quando a porta da secretaria abria, já sentia o odor pungente das velas do edifício do YSL – pra mim, que adorava ver a vida acontecendo, o tempo lá dentro não passava. Mas como ganhava por hora, amava cada volta do ponteiro. Tapa-sexo, jaleco e par de sandálias da época em que o Tom Ford era o estilista da marca, as quais quando descalçava nem a mais confortável alpargata me fazia esquecer: estavam lá as bolhas e o joanete doendo agudamente.

Era muito pano gasto para sair um vestido. Lá pelo sétimo molde, mil ajustes e alfinetadas depois, a peça era apresentada ao estilista – naquele tempo, o italiano Stefano Pilati. Sabia pelo cheiro quando ele estava por lá: seu perfume bom abafava o cheiro fedido das velas do edifício. Todos se apressavam, arrumavam o cinzeiro na mesa na posição correta e me vestiam com a peça analisada e retocada minuciosamente durante toda a semana. Assim que eu colocava o vestido, até o Pôncio Pilati aparecer eu não podia nem respirar e sequer sentar. Apesar de todo o leque de charme e educação pilatiano, todos temiam sua possível reprovação. Stefano, como a maioria dos estilistas italianos, adorava brasileiras. Assim, se o vestido tinha um caimento ruim, a culpa nunca seria minha.

— E poi vediamo! — Não bastava sua aparência, ele queria saber tudo a respeito da psique da roupa: se era agradável para sentar, se era confortável para dançar, quanto tempo um homem fogoso levaria para abrir aqueles botões todos, se tinha como dar uma rapidinha sem amassar muito e poder voltar com garbo para a festa... A cauda tinha que andar no mesmo movimento do quadril e parar lindamente para a foto da posteridade. Com um estudo tão detalhado de cada peça, sempre respeitando o espírito YSL, consegui lá pelas tantas entender porque Carla Bruni canta sobre o amor: "C'est pas du Saint Laurent, ça ne tombe pas parfaitement": o amor não é um YSL, que cai simplesmente perfeito.

Sempre alerta – e olha que nunca fui escoteira –, guardava tudo o que ele falava, não importa se em inglês, francês ou italiano. Lá pelo quinto vestido, Stefano apagou o cigarro e sorriu para mim:

— Você é um cabide muito inteligente!

CABIDE? Me doeu no coração, daí devolvi:

— Eco sono un gancio!

Realmente, quantas pessoas nos veem e nos tratam feito cabides? Enquanto estamos na loja ou nas passarelas, portando a última coleção na vitrine, ou nas capas de revistas, todos nos amam e nos querem. Nos querem por onde estamos, pelo burburinho do momento: poucos nos veem como somos de verdade. Depois que a moda muda e o cabide vai, com a peça antes tão desejada, para o armário, acervo ou estoque de alguém, acaba sendo julgado como uma peça fora de moda – até que outro alguém importante te resgate como uma peça vintage.

Um dia de Yohji, um dia de Yves

Quando descobri que tinha virado um cabide ainda não falava francês direito. Fui aprendendo com os costureiros e modelistas, que perdiam a seriedade com minhas mímicas e histórias mal traduzidas. Na mesma época, me dividia entre o ateliê YSL e o do estilista japonês Yohji Yamamoto – a pessoa mais incrível com quem já trabalhei. Fora os inúmeros desfiles, fiz os fittings da coleção que foi apresentada na Cidade Proibida de Pequim em 24 de abril de 2008, um evento organizado pela Chinese People's Association for Friendship With Foreign Countries (CPAFFC). Foi um momento muito especial, não só para Yohji como também para todos os japoneses e chineses. O desfile foi realizado como um pedido de desculpas dos japoneses pelas atrocidades cometidas contra os chineses em guerras. Yohji Yamamoto desenhou 60 looks únicos para esta ocasião: dois dias após o desfile, todos foram leiloados no Beijing Hotel para arrecadar fundos para o Yohji Yamamoto Fund

For Peace, cujo objetivo era estimular a criatividade na geração seguinte de estilistas chineses. Foi a primeira vez que um estilista – e ainda por cima um estilista japonês – mostrou sua coleção dentro dos portões da Cidade Proibida.

Na minha passagem anterior pela China tinha dividido o quarto do hotel com a incansável modelo romena Irina Lazareanu, conhecida pela amizade com Kate Moss e as saídas com o roqueiro Peter Doherty. A Ásia não me alimentava o sono e Pequim não me parecia confiável pra sair andando até ficar cansada e adormecer. Irina dormia e depois comia feito uma descontrolada enquanto eu passava horas escrevendo e vendo o único canal em inglês na TV. Na manhã seguinte, enquanto eu cantarolava no banho, Irina entrou sem bater, me deixando muda. Tinha a maior vergonha de cantar na frente dos outros. Ela sorriu e pediu para eu repetir o que estava cantando.

— So baby please kill me, oh baby don't kill me, but don't bring that ghost round to my door, I don't wanna see him anymore... — Era uma canção dos Libertines, uma banda cujo concerto tinha visto antes de embarcar para Pequim.

— Sabia que eu ajudei a escrever esta música? — falou, toda orgulhosa. Puxa, uma modelo que escreve!, pensei. Na hora do almoço mostrei a ela, toda tímida, algumas coisas que tinha escrito no avião. Carinhosamente, Irina me encheu de conselhos e de motivação: foi a primeira pessoa a despertar outro lado em mim. Daquele banho em diante, nunca mais rasguei o que escrevi.

Trabalhar com Yohji era como fazer yoga: ele não fala, suspira. O barulho da tesoura afiada cortando o tecido era música junto aos passos leves e apressados de suas assistentes no chão lustroso de madeira do seu ateliê na rue Saint Martin. Um dos costureiros de YSL, entre um molde e outro, me contou uma história curiosa sobre Yohji: o estilista japonês adorava jogar sinuca. Ao final da tarde, sempre ia jogar em um bar. Ficava observando um rapaz alemão que dificilmente perdia uma partida. Certo dia Yohji convidou o moço para trabalhar com ele. Surpreso, o alemão disse que nunca tinha trabalhado com moda; não tinha ideia de como poderia ser útil para o estilista. Yohji explicou: o único serviço que teria a fazer era observar seu trabalho – e mais nada. O alemão teve a sorte de ficar cinco anos recebendo apenas para observar o processo de criação do Yohji Yamamoto.

A coleção Capsule de Yves Saint Laurent foi um sucesso. Trabalhei três meses, sempre feliz, de olho em cada detalhe, naqueles vestidos depois desfilados por Kate Winslet quando ganhou o Globo de Ouro, e também pela ex-mulher do diretor James Cameron, a diretora Kathryn Bigelow, que mais tarde levaria a estatueta de melhor direção e melhor filme por *Guerra ao Terror*, na cerimônia do Oscar daquele ano.

Na minha última semana na Maison, um véu negro cobriu as rosas brancas. No dia 1º de junho de 2008 perdíamos o motivo de todos estarmos lá. Yves Saint Laurent falecia de um tumor no cérebro na sua residência em Paris – mesma morte que teve minha mãe Pierina. Lembrava de uma tarde em que, caminhando na Esplanade des Invalides, um carro preto parou no sinal da avenida do marechal Gallieni e baixou o vidro. Nem com cem anos eu poderia deixar de reconhecer aquele senhor por detrás dos famosos óculos. Sorri e mandei um beijo no ar. Ele sequer mudou de expressão e subiu o vidro. Mesmo ignorada no anonimato, fora a minha despedida a Yves.

Alguns meses depois da conclusão da coleção, foi a vez de voltar a vestir aquelas maravilhas da costura para o showroom. Alguém tinha que dar vida aos vestidos: nada poderia transformar aquelas peças em sonhos de consumo – a não ser um corpo. Recém-chegada em Paris, loura e quieta, a modelo argentina Evelyn T. foi bookada para trabalhar no showroom comigo. Notavelmente, tudo vestia melhor em mim. Uma encorpada e divertida cliente libanesa mostrou-se curiosa e perguntou à vendedora por que tudo me caía tão bem. Omitindo os fatos, respondeu que deveria ser minha postura. Sorri agradecendo o elogio. Mal sabia a libanesa que cada centímetro da costura tinha sido feito sobre meu inquieto corpinho.

Quem não transpira não alcança

Não são só as modelos que fazem fittings que se sentem um cabide: quem faz showroom não escapa. Pergunte a qualquer modelo se ama fazer showroom: se descobrir, desculpe, mas acho impossível. A resposta vai ser sempre a mesma: "Gostar não gosto; faço pelo dinheiro". A pessimista neste quesito, a modelo paranaense Patrícia Locks, me disse: showroom é o que tem de mais distante do sonho de quem almejava a vida de modelo. Não há quem não se sinta um verdadeiro cabide. Quem faz showroom dificilmente pode fazer os desfiles: as datas se chocam com os dias das vendas – afinal, depois do glamour da passarela, as marcas precisam vender a coleção.

Um showroom em Paris funciona das 7h às 18h, com uma pausa de almoço. Compradores de todas as partes do mundo chegam desfilando as saias de bananas da Prada, a última bolsa da Celine, os ternos Paul Smith, sempre apressados entre um café e outro, cigarros e macarons de La Durée. Poucos são verdadeiramente simpáticos – bom dia e muito obrigado são mais mecânicos que significativos. Vasculham as araras como se folheassem revistas; alguns minuciosamente, a maioria em uma rapidez de quem sabe o que procura. Apontam as peças desejadas para a vendedora que dispara na direção da cabine para que as modelos provem. Dependendo da marca, pode haver de uma a dez modelos, como na Dior. Algumas marcas têm uma modelo só para provar sapatos – esta, calçando 36 ou 37, sem bolhas nem calos, pé raridade entre as modelos (pé de modelo em época de coleção só é menos feio que de bailarina ou jogadora de futebol).

As modelos ficam em um espaço chamado cabine. Algumas superimprovisadas e desconfortáveis, sem cadeiras para todas, mesmo nas grandes marcas. Toda cabine tem a chefe de cabine, aquela ou aquele que diz quem veste o que, que ajuda a modelo a se trocar, leva a roupa já apresentada de volta para a sala do showroom, sempre controlando se as roupas estão impecavelmente abotoadas e na direção correta do cabide. A chefe de cabine também supervisiona o horário de pausa. No showroom do Alexander McQueen, tínhamos 15 minutos de almoço: se aparecia um cliente novo, o chefe de cabine inglês mandava soltar o prato e voltar ao batente. Depois a fome passava e a salada ficava como a minha cara – murcha.

Mesmo que o cliente escolha só algumas peças, o vendedor quer mostrar a coleção inteira. Tira sapato, troca calça, põe meia: no fim do dia, eu ficava com tédio até ao vestir o pijama – por alguns meses, não queria nem pensar em entrar em uma loja para comprar roupa.

*

Não importa a marca: o melhor showroom vai ser aquele que paga a melhor diária. Lembro: no fim do dia, na França, só 30% do cachê fica com aquela criatura infeliz que trocou de roupa mais de 200 vezes. Se a equipe é bacana, dá para trabalhar e se divertir. Depois de duas temporadas no mesmo showroom, o clima fica familiar, todos se ajudam a espantar o tédio, deixando o tempo passar mais leve. Na Yves Saint Laurent dava para sair no horário de almoço, tomar sol no café ao lado largada dentro de um confortável jeans. As meninas se revezavam na folga para descansar o pé calejado do salto nos horários de lanche, assim ninguém passava fome e sufoco, mesmo com a casa bombando de clientes. Na Jay Ahr, sempre trabalhávamos entre amigas, ficando às vezes até às 10 da noite, cansadas mas felizes por receber hora extra. No Alaïa – um dos showrooms que as meninas mais disputam, porque os staffs são os mais legais –, acontecem três desfiles por dia; entre um e outro, o pessoal coloca um colchão grande no chão e as modelos se jogam ali para descansar sua beleza. No Issey Miyake, as roupas são tão confortáveis que mais parecem pijamas; como nunca havia sapato de salto na coleção, meus pés até aguentavam voltar caminhando para casa no fim do dia.

Nem todos os estilistas pensam no conforto, claro. No Giambattista Valli, os sapatos eram mortais. Ele já gosta de uma menina com mais de 1,80m que, parecendo um avatar, desfila o dia inteiro seus saltos de plataforma com dez centímetros. Resultado: depois do primeiro dia, as tiras da sandália machucam tanto os pés das meninas que eles providenciam um balde de água cheio de gelo – entre um cliente e outro, as coitadas colocam os pezinhos de molho para aguentar. Muito glamour! Uma colega – que não quis se identificar – contou que certa vez no showroom do Valentino a sandália apertava tanto que o pé dela começou a sangrar. Mas ninguém providenciou um band-aid ou atadura: os assistentes se preocupavam mais em limpar o sangue que pingava no luxuoso carpete. Comovidas, as modelos fizeram um motim para que ao menos eles trocassem o sapato da pobre. Aí alguém da marca soltou a máxima: "Elas não são pagas para sentir dor". Mas o que tem fama de ser o pior de todos é o da Balenciaga. A equipe era lembrada por ser formada por pessoas antipáticas; o salto sempre machuca, as roupas são muito pequenas e apertadas, o chão de madeira escorrega deixando suas vítimas no chão – e para desanimar, mesmo após todo o esforço, a marca não paga bem.

Sendo bem realista, esse tipo de trabalho às vezes não paga bem – mas mais do que muitos cidadãos brasileiros faturam em um mês bem ralado. Para a modelo que começa a carreira, é uma oportunidade de entrar em contato com um grande estilista, já que eles sempre acabam visitando o showroom.

A modelo tcheca Hana Soukupóva começou fazendo o showroom da Gucci em Milão quando Tom Ford, então estilista da marca, bateu os olhos na moça e a colocou para abrir seu desfile. No fim do dia, trabalho é trabalho: quem não transpira não alcança.

Até quando um saco vazio aguenta em pé?

No intervalo ocioso da rotina de casting, circulava uma certa menina com um livrinho, daqueles coloridinhos de bolso, que informava de A a Z todos os alimentos e suas calorias. Ela grifava com a mão pesada os alimentos que ela mais gostava. Grifava e já os devorava em pensamento sentindo uma senhora sensação de culpa subindo pelo esôfago. Essa menina era eu.

Todas as agências deveriam ter um acompanhamento psicológico para suas modelos. Na tentativa de sempre agradar clientes de gostos diversos, a confusão é gerada na mente e a saúde é deixada de lado com a esperança de que o glamour dos minutos de fama vão encobrir as sequelas. A adolescência vai passando, o corpo mudando, o quadril aumentando e a bunda empinando (ou despencando). Não percebi sozinha quando chegou a hora de deixar de lado o paladar infantil recheado de doces e frituras e partir para o sabor saudável da vida adulta. É muito difícil ser adolescente e ter a vida tão exposta. A adolescência é a época em que devemos errar para aprender, quando nos reinventamos a cada dia para descobrir quem somos, do que gostamos e o que realmente queremos ser. Infiltrada tão cedo na carreira de modelo, é fácil ficar confusa: agência e clientes pedem para nos vestirmos de tal maneira, cortar o cabelo de tal jeito, andar de tal forma – e, no topo disso, todos ainda nos exigem que tenhamos personalidade. Como deixar a personalidade fluir no meio de tantos personagens impostos? Feliz a modelo que tem um caráter forte desde novinha, que consegue fechar a porta de casa e deixar o personagem do lado de fora.

Mesmo com uma estrutura familiar boa, voltada para o incentivo da saúde, do respeito e amor a si mesmo, todas estão sujeitas a passar por momentos em que é fácil se deixar levar pela pressão. Os distúrbios alimentares assombram o cotidiano da vida de modelo em muitos aspectos. Um "não" mal interpretado de um cliente, a opção de trabalho que cai, o cancelamento de um desfile porque sua calça ficou justa demais... tudo pode ser motivo para enfiar o dedo na goela quando a saúde mental está desgastada.

Antes de entrar no mundo da moda, anorexia era um assunto desconhecido para mim. Quase uma lenda, distante do meu apetite voraz pelas guloseimas da nonna. Bulimia eu interpretava como um gato escaldado miando dentro de um bule. Para a mais magra da escola era difícil entrar na cabeça que dois quilos já me tornariam um ser fora de medidas. Com toda minha inocência, não entendia que podia ficar gorda de tanto comer cuca (pão doce famoso no sul do Brasil). Não sabia como fazer dieta, não entendia as mudanças que ocorriam no meu corpo. Aquela menina que na pré-adolescência sonhava em ter bunda ficou apavorada quando a viu se avantajando na vida de modelo. E, assim, ao assistir meu corpo de menina se tornar corpo de mulher, me senti um ser estranho.

O ideal seria o acompanhamento desde cedo de um nutricionista, alguém que me explicasse claramente que eu poderia continuar a comer de tudo; não seria necessária uma vida de rejeição de alimentos gostosos – bastava saber dosar e balancear para não passar vontade nem fome. E o mais importante: alguém que me dissesse que a automutilação faz o corpo adoecer.

Na prática, não é o que acontece dentro dos muros dos apartamentos de modelos. Os ouriços das fantasmagóricas perfeitas medidas se infiltram em algumas meninas ecoando seus nãos pavorosos de reprovação a cada mordida salivada por algo com algumas calorias. Somem rapidinho os minutos de prazer na deglutição do deleitoso alimento, rico de valores energéticos.

No apartamento da Marilyn, na rua 34, em Nova York, um ano depois desocupado por conta de uma infestação de piolhos, notei que uma menina estava perdendo os cabelos e o brilho de viver. Em cada refeição, Tina (nome fictício) fazia um estranho ritual. Maçãs, bananas, laranjas e morangos cortados levemente em cubos de tamanhos iguais. Na bacia de vidro que era dela, despejava a salada de frutas misturando ao leite desnatado sem adoçante nem açúcar. Se espichava em frente à TV, comendo com sofreguidão a baciada em almoços e jantares repetidos; em seguida, se trancava no banheiro.

O banheiro estava cheio de vestígios. Uma hora eram os detritos de vômito no vaso; noutra, os pelos espalhados no chão, raspados para disfarçar o fato de que cresciam rápido demais – um dos sintomas da anorexia nervosa.

O Ray-Ban afundava no rosto de Tina. Seu corpo nadava dentro das roupas; quando pegava minha bicicleta, confundia seu quadril com o selim, sua canela com a pedivela... Quando toda a gordura do seu corpo perdeu-se entre seus passeios pelo caminho da doença, ela voltou para sua casa na Alemanha, onde afinal foi tratada.

Em sua chegada a Paris, a modelo Bruna Sotilli já estava abaixo do peso recomendado. Durante a temporada, ficou trabalhando direto doente, fazendo montagens de looks para a Maison Valentino. A gripe não curava. Também não se alimentava o suficiente por medo de engordar e perder o emprego. Trabalhou até a febre chegar e não sair mais do seu corpo. A primeira atitude que teve foi ligar para sua agência parisiense dizendo que não tinha condições de voltar a trabalhar. Sua booker portuguesa não acreditou e suplicou-lhe que fosse trabalhar. Febril, Bruna foi até a agência mostrar que não era dengo nem preguiça. Levaram um susto: magra, sem cor, quase os tubos da calefação de tão quente. E logo se afastaram da coitada, com medo que ela pudesse estar com gripe aviária.

Levaram Bruna de volta pra casa: seu médico a encaminhou para o hospital, onde constataram que uma pneumonia já tinha tomado metade do seu pulmão.

Bruna continuou emagrecendo. De volta ao Brasil, temporada de desfiles, o boato se espalhou. "Meu Deus, como você está linda!" Durante uma prova de roupa, um stylist conhecido comentou com ela:

— Há males que vêm para o bem: que bom que você ficou doente, pelo menos emagreceu!

Foi uma das temporadas que Bruna mais desfilou no Brasil. Juntando o stress da correria, continuou a se alimentar mal. Os estilistas passaram a ajustar até peças 36 em seu corpo magro. A imprensa começou a criticar o evento com matérias sobre apologia à anorexia. A primeira pergunta feita pelos jornalistas era: "O que você comeu hoje?". A história ganhou ibope quando divulgaram a foto de uma colega esquelética desfilando de maiô na *Folha de S.Paulo*. E colocaram Bruna no gancho: de um instante para o outro, ela passou a circular na boca de todos, não como esbelta e linda – mas como doente. Terminada a temporada, a agência e os clientes pediram para que Bruna engordasse. E ela engordou. Seis quilos, o dobro do pedido. Então tudo se reverteu: começaram a fofocar que a moça tinha engordado demais – e voltaram a pedir para que ela emagrecesse. Nessa sanfona confusão, Bruna ganhou uma depressão que a levou a ter Síndrome do Pânico. Na temporada seguinte, mais encorpada, Bruna não fez o mesmo sucesso que na anterior.

Parabéns sim, bolo não

2003. Estava há algum tempo em Londres sozinha. Não digo que estava somente longe da família – desses já tinha me acostumado a ficar distanciada havia um tempo –, mas distante de amigos, daquela melhor amiga pra passar uma tarde ao lado sem fazer nada, feliz só pela companhia. Contam que a gente só nasce amarrado à mãe: quando o médico corta o cordão umbilical somos do mundo. Modelo percorre a carreira muito tempo sozinha, sempre rodeada de gente que só faz preencher o índice de população, mas poucos que fazem encher o coração. Como diria o fotógrafo J.R. Duran, "todo dia é dia de showtime". Quando a dedicação é grande, não dá para escolher: não tem Páscoa, não tem casamento da melhor amiga, não tem aniversário do pai e da mãe, não tem seu aniversário quando é dia de trabalho. Meu aniversário, 8 de novembro, cairia num domingo. Na sexta-feira anterior, meu booker em Londres, Rick, me ligou informando que eu tinha pego o catálogo de um cliente japonês e que seria fotografada pelo famoso Moloko Okopoko no domingo seguinte em Paris. Mesmo não fazendo ideia de quem era o tal fotógrafo, comentei que domingo era meu aniversário: já que o shooting era em Paris, aproveitaria para rever alguns amigos depois da diária. Rick me cortou: impossível, eu estava indo a trabalho, não a turismo. O cliente me buscaria na estação, e quando o trabalho acabasse me colocaria no primeiro trem para Londres. Fiquei surpresa com a falta de importância que meu booker, que costumava ser o mais querido de todos, deu para meu aniversário. Vai ver este tal de Moloko Okopoko é muito importante, pensei.

Fui até a um cyber café em Tottenham Court Road dar um Google no japa: para meu espanto, só encontrei uma referência numa página em russo sem nenhuma imagem. Chegado meu aniversário, ganhei os parabéns gentis do oficial da imigração inglesa e comprei um pedaço de bolo de cenoura para mais uma vez comemorar sozinha minha nova primavera. Quando desembarquei plataforma abaixo, entre todas aquelas plaquinhas de espera, que nunca escreviam meu nome corretamente, avisto um vulto louro conhecido passar de chapeuzinho de festa, segurando um balão. Quase chorei de alegria. Meu nome numa plaquinha, nas mãos das minhas escandalosas amigas modelos Elle, Renata, Cíntia e Eliana, entre balões e línguas de sogra. Um dos meus bookers de Paris, o afável Jean Marc, e minha amiga Ana Gallet, da Marilyn, me presentearam com uma passagem para não passar meu aniversário sozinha, organizando aquela mentirinha com os bookers de Londres. Depois do episódio, os risos vinham de ambos os lados, de Londres e Paris: nunca antes tinham me pego assim de surpresa. Foi um final de semana de forró e festa; todos os modelos brasileiros que se encontravam na cidade se reuniram na casa da Ana para festejar. E Paris continuaria a me presentear com aniversários inusitados.

Na minha passagem para os 20 anos, o amigo estilista Gaspard Yurkievich e seu companheiro Guido me levaram para ver o espetáculo do famoso cabaré parisiense Crazy Horse, para o qual Gaspard tinha desenhado algumas peças do figurino. Toda a champanhe que bebi não influenciou meu pensamento; nem as Barbies com que brincava quando pequena eram tão perfeitas, torneadas, sexies e elásticas. Nada se via fora do lugar nas bailarinas: no final dos parabéns, assoprei as velas pedindo à fada dos desejos aniversariantes que tivesse um corpo como o delas. Naturalmente, o esforço se segue à inspiração – assim, na manhã seguinte retornei as atividades físicas.

Voltei à solitude londrina, mas não ficaria lá por muito tempo. Nos tempos de new face minha vida era um vai e vem. Cada temporada é um investimento: você tem que viajar muito, ganhar clientes e ver quais mercados funcionam. Após o modernoso mercado londrino, minha agência do Brasil achou viável que eu conhecesse outra praça. Hamburgo, no verão, é o paraíso. Entretanto, quando fui enviada pra lá, no invernoso fim de novembro, adentrei o inferno. Foi uma época tão nebulosa que mal consigo lembrar o que vi na cidade.

No final da adolescência, carente, insegura, longe de casa, me atracava aos doces – especialmente num pacote colorido de cookies de chocolate de 30 centavos. Era magrinha porém bochechuda, Topo Gigio. Qualquer quilinho ia pra bochechinha – e logo os clientes percebiam. Nos desfiles e shootings, sugava minhas bochechas dando um aspecto mais magro ao meu rosto; só que não dá para sugar as bochechas enquanto se fala – ou eu ficava séria ou eu emagrecia. E emagrecer é o que me pediam em Londres, Paris, NY... Em Hamburgo, porém, quando pediram que eu engordasse, não fiquei feliz: fiquei confusa – a última vez que alguém tinha pedido para que eu engordasse tinha sido minha mãe, em 1992.

*

Na Alemanha, o fluxo de casting é bem menor que o normal; tinha um ou dois apontamentos por dia, quando tinha. As tardes curtas, escuras já às 4 da tarde, a língua que não entrava no meu aprendizado e o fato de passar 90% do meu tempo sozinha me estimularam a me lançar nas profundezas da gula. Meu peso subiu rapidinho, como os alemães queriam, mas nem por isso agradei os clientes. Depois de três semanas, tinha pego apenas um trabalho: um editorial para a revista *Deutsch* em que fui coadjuvante. A estrela era um moreno de papo chato, Michael, que achava que era mais famoso que seu xará, o jogador alemão

Michael Ballack, só porque estava na segunda posição no ranking de modelos no site models.com. O endeusado falou na minha frente para o fotógrafo que preferia aparecer sozinho nas fotos – afinal, eu não ocupava nenhuma posição no tal ranking. Quando chegou minha vez de mostrar que não era uma tabela de um site que iria me excluir de ser uma boa profissional, o fotógrafo encanou com minhas bochechas. Mudou a luz umas dez vezes pra ver se afinava meu rosto. Com dissabor, chupei minhas bochechas mais uma vez e fiz o meu serviço.

Foi uma fase perturbada. Só via meus defeitos e achava que não agradava a ninguém. Comia descontroladamente e depois saía caminhando horas sem rumo – só caminhando me sentia feliz.

Enquanto a Alemanha não se agregava ao meu sustento, meus bookers em Londres continuavam apostando em mim. Atendi novamente à London calling, desta vez voltando para fotografar um editorial de um assunto que me empolgava muito: futebol.

Era a primeira vez que clicava para a *Vogue* inglesa. Fiquei encantada com o tamanho da produção: dois grandes trailers pretos, um para as roupas e acessórios, outro para a equipe. Éramos 11 modelos (um time de futemodels), entre elas outra brasileira, Ives Kolling. Um dia daqueles bem inglês, frio e bom pra ficar dentro de casa tomando chá; mas nossa missão era fotografar vestidos leves de verão em um campo de futebol. Juergen Teller, o fotógrafo alemão, clicou uma de cada vez. Na minha hora ele veio com o comentário:

— Brasileira? Hu-hum, tá aí alguém com quem posso dividir algo! — E sacou a carteira de onde tirou uma foto em que sorria abraçado ao rei Pelé. Devolvi dizendo que já tinha visto Edson uma vez.

Numa das minhas idas ao Japão, ganhei da booker Milena Paes de Barros umas milhas que possibilitaram um upgrade para a classe executiva. Como minha poltrona era a primeira, atravessava a cortina usando o banheiro mais cômodo da primeira classe. Aperto vai, xixi vem, aguardo o então banheiro ocupado, quando sai de pijama o rei Pelé. Não tive coragem de pedir autógrafo para alguém de pijama...

Debochado, Juergen disse que tinha uma foto melhor ainda para mostrar como era um amante do futebol. E sacou outra foto da carteira – desta vez, ele estava peladão sentado sobre uma bola de futebol.

A última foto foi a do "time", numa barreira impenetrável para qualquer flash. Me posicionaram bem ao meio com um vestidinho curto. Na foto, todas estão com cara feia, mostrando que nenhuma levava jeito para o esporte – sou a única que levou a sério o lance e subiu na barreira. Sei que era encanação minha, mas o fato de o meu vestido ficar mais justo que o das outras meninas me deixou em pânico. Depois do trabalho fui pra casa a pé e por um bom tempo qualquer coisa que eu comesse me desesperava e me dava sentimento de culpa. Amava aquela cidade, jogava nela minhas inseguranças e tropeços, sem saber até onde era saudável.

Sempre que avistava alguma menina tocando em assuntos de gula enquanto se alternava entre cigarros e café, dava uma freada no meu pensamento: o gato no bule que mia está rondando por aí. Pior foi quando senti o bule miar em mim.

Sabia que errava em sentir culpa ao me alimentar, que os biscoitos não eram monstros e que eu estava longe de ser gorda de verdade. Sentia vergonha por estar tão frágil, então procurei ajuda – e a dupla psicóloga + futuróloga entrou na minha vida. A primeira me aconselhou a caminhar duas horas por dia e a continuar escrevendo. Botar os medos e frustrações para fora me fez muito bem. Já a nutricionista começou com uma dieta de pontinhos: até uma colher de azeite contava pontinhos. O problema é que comecei a olhar para a comida e só ver pontinhos. Um brigadeiro valia 40 pontinhos; eu só podia comer de 150 a 180 pontinhos por dia – aquela conta toda me deixou agoniada, ainda mais eu, que detesto o mundo dos números. Troquei dietas por conselhos e aquela velha e saudável fórmula: comer de tudo um pouco. Foram três anos lutando contra a obsessão de expurgar com exercícios tudo o que comia. Aos poucos, a culpa desapareceu de minha rotina e o amor próprio voltou a reinar.

*

A moda sabe que estes fantasmas são frequentes. Mas, para a alegria do mercado e das futuras gerações de modelos, há pessoas dispostas a mudar estes hábitos e padrão. Como a top model inglesa Erin O'Connor. Em 2008 ela criou The Models Sanctuary, uma casa em Covent Garden com quatro andares recheados de motivação para os modelos durante a London Fashion Week. É só apresentar o composite na porta e embarcar num spa de graça voltado ao universo dos modelos. Entre um desfile e outro, os modelos usufruem de massagens, refeições balanceadas, atendimento psicológico, aulas de alongamento. Toda temporada tem uma novidade. Uma vez dois modelos ganharam uma passagem para as Ilhas Mauricio. Quando eu frequentava, subia direto para a sala do soninho, escura e calma, com seus colchonetes espalhados para fazer a siesta antes de voltar ao trabalho. Gostava da hora do lanche, em que Erin sentava para conversar com a gente dividindo suas experiências. Ela sempre prezava pela saúde e pelo respeito na profissão. Dizia que era legal ir a festas do mundo da moda de vez em quando, desde que lembrássemos dos nossos compromissos no dia seguinte. Temos que cuidar da nossa saúde mental e corporal. Nosso corpo é nosso funcionário, nosso corpo é nosso chefe – e a mente é que gere esta empresa.

A casa das 127 mulheres

Em dez anos de profissão morei com 127 meninas de que lembro o nome, sem contar os meninos. Diferentes culturas, anseios, medos... Nenhuma destas 127 eram perfeitas; nenhuma delas se achava a mulher mais linda do planeta: todas deixaram uma marca em mim. Peço desculpas às que foram passageiras, as com que apenas dividi o quarto do hotel ou horas nos backstages da vida e de cujos nomes me falha a memória. Foram tantos os tapa-sexos pendurados no box do banheiro, as pastas de dentes etiquetadas, os xampus confundidos, as caixas de cereais e folhas de castings trocadas... os rabiscos nas agendas se perdem ao me relembrar de todas elas. Algumas fortes, outras nem tanto. Ansiosas, determinadas, carentes, saudosas, bichos do mato, algumas um tanto desligadas, outras poesia pura, as que tocavam em frente, as depressivas, certas egoístas, muitas idealistas... Russas, alemãs, inglesas, ucranianas, dinamarquesas, canadenses, japonesas, coreanas, espanholas, mexicanas, argentinas, africanas... Não sei de onde vieram todas, só sei que foram tantas. Algumas ficaram famosas: Caroline Trentini, Julia Stegner, Cíntia Dicker, Flavia Oliveira, Lili Donaldson, Erin Heatherton, Irina Lazareanu, Michele Buswell. Muitas tiveram sua temporada de fama como eu: Ciara Nugent, Rose, Xsanti, Nakisha. Uma grande parte delas pendurou o tapa-sexo, tornando-se mães, atrizes, agrônomas, pintoras, jornalistas. Com algumas esbarro até hoje em bares, casamentos, shoppings, aeroportos e no Facebook. Só de uma delas nunca mais terei notícias.

Lembro o dia que em que Palloma Dreher entrou fofocante no quarto do apartamento de modelos da Rue du Temple em Paris contando que Rapunzel estava entre nós. Me intriguei com seu deboche. Corredor abaixo com minhas pisadas de elefante anunciei à nova princesa du temple que queria conhecê-la. Como era linda! Ruslana mais parecia uma ninfa sorrindo. O inglês ainda não existia no seu repertório: tudo que dizia era "sou do Cazaquistão". Foi ela levantar para estender sua mão que entendi de onde Palloma tinha tirado o apelido. Seus cabelos lisos, louro-acinzentados, chegavam à dobra dos joelhos. Faziam nó só de olhar. Foi a cabeleira que lhe rendeu a fama.

Sua mãe era visita constante. Carente de mãe, eu acabava desfrutando de qualquer seio materno que passava algum tempo nos apartamentos. Pedia cafuné, colo, abraço, comida, conselho, tudo que uma filha teria direito.

Ruslana foi rápida para sentar-se na cauda do cometa: no segundo mês já estampava os melhores editoriais. Enquanto continuei de um lado para o outro no mundo, ela trocou de agência e voltamos a nos cruzar em Paris numa festa estranha com gente esquisita. A Eurocopa de 2008 já tinha começado; o evento em que estávamos era de uma marca de relógios cujo garoto-propaganda era aquele cara que me fez chorar em 1998: Zinedine Zidane. No dia seguinte, a França enfrentaria a Itália, a mesma seleção que me fez rir em 2006 ao ganhar a final contra a França, que tinha eliminado o Brasil naquela Copa. Todos os jornalistas faziam a mesma pergunta para Zizou: qual o seu pitaco sobre o jogo. Benjamin Cassan, o amigo com quem eu morava na época, que por sinal organizava o evento, teve a brilhante (not!) ideia de ressuscitar minhas origens italianas para fazer uma brincadeira com Zidane. Nos colocaram lado a lado para um bate-papo sobre a rivalidade que seria este encontro dos gramados – no caso, eu representando a Itália. Por essa nem meu nonno esperava. Já estava da cor da camisa da Espanha: além de blasfemar, não falava mais nada em italiano. Foi quando o basquete me salvou! O jogador de basquete Tony Parker chegou acompanhado de sua mulher, roubando a cena, na maior intimidade com Zinedine Zidane. Os jornalistas ficaram loucos e eu, bem menos famosa, fui feliz da vida colocada para escanteio.

Na rua, esperando um táxi, contei para Ruslana meu momento futebolístico. Ela riu dizendo que seu país não era forte no futebol e que não fazia ideia de quem era Zizou. Não conhecia ninguém famoso do Cazaquistão, então disse que

Zidane era o Baryshnikov do futebol francês. Peguei o primeiro táxi, me despedi e dei meu sorriso numero três: o de "te vejo em breve". Na manhã seguinte, ela voltaria para Nova York. Uma semana e meia depois teria a última notícia de Ruslana. Da sacada do seu apartamento em Wall Street, do nono andar, pulou para ser lembrada pra sempre jovem no dia 28 de junho de 2008. Alguns dizem que ela cometeu suicídio porque as coisas não iam bem no trabalho; outros sussurram que sua vida foi abreviada por envolvimentos com a máfia russa. Nunca saberei. Um dia depois da sua morte, mesmo sabendo que ela não se importaria, comemorei por mim e por ela o gol de Fernando Torres aos 33 minutos do primeiro tempo contra a Alemanha. Enquanto a Espanha levantava a taça de campeã da Eurocopa, eu me perguntava sobre o que teria acontecido com a Rapunzel do Cazaquistão.

*

As 127 mulheres:

Adriana Caye, Alice Návratová, Aline Montezeli, Aline Resende, Amand, Amina Suzanne, Ana Bela Santos, Ana Carolina Reis, Ana Paula Barros, Andressa Martins, Ania K., Ania P., Bárbara Garcia, Bruna Brignol, Bruna Erhardt, Bruna Freire, Bruna Magagna, Bruna Sotilli, Bruna Del Bortoli, Carla Luque, Carmel, Carol Fontaneti, Carol Luchesi, Carol Manfrim, Caroline Trentini, Christina, Ciara Nugent, Cíntia Dicker, Clara, Collete Copping, Constantini, Cristiane Muller,

Curane, Dan, Dasha, Eliana Weirich, Elisa Kich, Elle Stupp, Emanuela de Paula, Erin Heatherton, Fabiane Nunes, Fernanda Prada, Flavia Oliveira, Francis Martins, Gabriela Rabelo, Gisele Leung, Helena K., Iekeline Stange, Innes Rodhen, Irina Lazareanu, Isabel Zachow, Janna, Jéssica Paulleto, Julia P., Julia Stegner, Juliana, Katarina Scola, Kate, Kátia, Kelli, Laczko Krisztina, Laura, Letícia Altenbernd, Lílian Kreutz, Lily Donaldson, Lisa, Lívia Figueiredo, Livia Gabriel, Liz W., Lizzy, Loiani Bienow, Louise A., Luana Teifke, Luciana Kreutz, Luciane Adorian, Manoela Zachow, Manu Subutzki, Maria Gregersen, Maria Runyova, Mariana Codebela, Marina Dreux, Marina Theiss, Marine, Marta Español, Mateja Penava, Michele Buswell, Monalisa, Monika Restkolova, Nakisha, Natalia Beber, Natalia Viana, Natasha L., Nina Oord, Olivia, Palloma Dreher, Patrícia Locks, Priscila, Raquel Hoff, Reka Ebergenyl, Renata Klem, Renata Sozzi, Renne, Rose Van Bosstraeten, Rose, Ross, Ruslana, Sabrina, Sandra Steuer, Sarah Sewer, Sarice Brudget, Schynaider, Sheila Klein, Sheila Rushel, Sheron Pavesi, Smita K. Lsrado, Svetlana, Talytha S., Tânia P., Tati Sbersi, Tetyana B., Tetyana K., Tunde Lendvai, Valeria, Vanessa Gram, Vivian Gargione, Viviane, Xsanti.

Glamour é uma casquinha de sorvete

Já ouviu falar que carreira de modelo é uma montanha-russa? Tem altos e baixos, adrenalina, sustos, frio na barriga... e às vezes uma pane. E nem sempre tem porquinho-poupança para quebrar e salvar a tormenta; ainda mais se você tiver uma agência pão-dura como a que eu tive em Londres.

O advance não estava dando conta. Só com o ticket de metrô da semana e da comida já desapareciam 70% da minha carteira; minha paixão pelo cinema e as milhares de exposições que entravam em cartaz na cidade levavam o resto da grana; raspava minhas economias para de vez em quando ir ao Stamford Bridge ver os jogos do Chelsea. Resultado: faltava o dinheiro do sorvete de domingo.

No apartamento da agência Premier, em Maida Vaile, era o caso de dizer que morávamos literalmente acampadas. Minha amiga Palloma comprou uma barraca e resolveu morar no jardim dos fundos: não estava afim de dividir o quarto com ninguém. Duas na suíte, duas no quarto com beliche, Paloma no jardim e mais uma num colchão na sala. Com ou sem vantagens, o preço do aluguel era o mesmo para todas. Fica a dica: se você quer ganhar dinheiro, abra um apartamento de modelos – o lucro é maior que ter um estacionamento. Aquele apartamento tinha muita gente de passagem, as meninas traziam visitas e eu nunca sabia quem ao certo morava lá. A jamaicana Nakisha sempre trazia meninos que ficavam andando de cueca pela casa, comendo frango frito e escutando a rádio London Heart 106.2. Não sabia o nome de nenhum, chamava todos de Bob Marley. À noite nem tentava me apossar do controle da TV, ficava distanciada praticando inglês com encartes de CDs do The Clash no quarto. Numa dessas, uma inglesinha de Manchester que me via escutando rock bateu no quarto gritando:

— Hey, bruzilia da stones arp on taly!

— What? Faz mímica!

Articulando bem devagar ela gritou:

— *THE ROLLING STONES ARE ON TV!*

O convite foi propício para despencar em risadas com as duas dançando a cobrinha feito Mick Jagger. E aquela dança toda deu uma fome – fome de menina em TPM, fome de tranqueira. Olhei pra ela:

— You scream, I scream, everybody scream for ice cream!

A inglesinha gritou pra mim desiludida:

— POM, POM, POM!!!

Olhei pra ela com aquele olhar de Google Translator.

— POM — me explicou — means POCKETS OUT OF MONEY!

Botei a mão no bolso: senti minha coxa e mais nada. Angie foi à cozinha e reclamou que ninguém tinha nada apetitoso na geladeira; morar com modelos era pior que ir pro exército – lá ao menos tinha barras de chocolate Mars. Não entendi sua ligação do chocolate com o exército, mas respeitei sua cólera antimanequim. Meu silêncio deve ter aumentado sua ira: chutou cadeiras, protestou que o carpete tinha cheiro de mofo, que os lençóis pareciam lixo hospitalar, que as panelas eram da época em que a rainha Elizabeth era virgem, que o advance parecia esmola, e levantando o aparelho de telefone público, surtou:

— Isto não é um telefone, é um caça-níqueis!

Foi ela chacoalhar com esforço o pesado telefone público, abarrotado de moedas, para o sorriso voltar ao seu rosto rosa. Pronto, pensei: o rock dos Stones não fez bem, a louca está pensando que isso é um quarto do Chelsea Hotel, que o jamaicano é o Jimi Hendrix e que dá para quebrar tudo que o show de amanhã paga. Fuçou todas as esferas do telefone me questionando quanto dinheiro eu já teria colocado ali. Tinha perdido a conta mas dava com certeza para comprar um pote de sorvete. Angie contou a história do Robin Hood, aquele que roubava dos ricos para dar aos menos favorecidos. Inspirada em sua teoria, disse que não estaríamos roubando ninguém, apenas resgatando o dinheiro das ligações perdidas, das chamadas em vão. Pensei: como não tinha segundo grau completo, se fosse presa iriam me colocar numa cela com mais 25 mulheres... imagine ser deportada por arrombar um telefone público? Tudo bem que o aparelho ficava dentro do apartamento de modelos – e que eu nunca tinha visto ninguém vir recolher as moedinhas. Entrei na onda dela: afinal, o que não se faz por um sorvete na TPM às 2 da manhã?

Quebramos o telefone e contamos 60 libras. O indiano do 24h, que ficava em cima da estação de Maida Vaile, ficou tão feliz com a quantidade de troco que nos deu um chocolate de presente – o qual carinhosamente repassamos para o mendigo sentado em frente à estação de metrô. Afinal, já tínhamos calorias suficientes.

Biglietto, prego

Em Milão não tinha telefone-porquinho para salvar, mas sempre se podia contar com a Igreja Católica Apostólica Romana. Os modelos masculinos dificilmente ganham advance; quando ganham, a quantia é bem menor que a das meninas. A profissão de modelo é a única em que de fato mulher ganha mais que homem. Afinal, mesmo eles consumindo moda cada vez mais, ainda passamos uma rasteira neles quando o assunto é cosméticos e afins da beleza. Quanto mais nós mulheres consumimos, mais precisa-se de modelos para estampar as publicidades dos produtos consumidos.

Nos anos 1980 e 1990 os modelos masculinos ganhavam muito bem na Itália – até a chegada do euro em 2001. A beleza clássica do século anterior foi deixada de lado para a invasão dos andróginos: magrelos, branquinhos e esquisitos. O biótipo clássico nunca foi esquecido por clientes como Giorgio Armani e Dolce Gabbana, que continuaram apostando no homem com "cara de homem", e são esses modelos que continuam ganhando dinheiro quando os fios grisalhos começam a aparecer. O modelo masculino clássico, se deixar, só se aposenta depois dos 60.

E todo modelo masculino que se preze passa por Milão. É lá que acontece a semana de moda masculina mais importante. Muitos vão aos desfiles pela primeira vez e acabam ficando para showrooms, temporada de catálogos, temporada de editorial... O problema é que quase todos têm a mesma ideia: esticar o bilhete aéreo ao máximo. Resultado: tem mais modelo que macarrão. Pode ter trabalho, mas não há dinheiro para todos, e os espertos seguram o advance firme na economia, porque a hora que a montanha-russa cai do looping, o tempo voa e aí vem a estacionada. É, ragazzi, a modelada em Milão achou uma forma de economizar na alimentação e no transporte. Alguns por necessidade, outros por malandragem.

Biglietto, prego! Driblar o pagamento do sistema de transporte por benefício próprio é uma arte, uma travessura presente na vida de muitos modelos. Em Milão existem os charmosos trams, bondes que circulam vagarosamente pelas vias da cidade. Não há controle na hora de subir: é só entrar e encontrar um banco livre. A lógica é que cada passageiro tenha em mãos o bilhete adquirido antes em qualquer estação e ocasionalmente entra um "controladore" para validar os bilhetes e aplicar as possíveis multas em quem não apresenta um. Grande parte dos modelos que viajavam clandestinamente, ao notar a presença do guardinha, pulava fora do tram. De certa forma, quem era pego uma vez pelo controle ficava tão tímido do esporro que nunca mais fazia o trajeto sem bilhete.

Os italianos já falam alto normalmente. Imagine levar um puxão de orelha em público. É quase a Regina Duarte com um megafone. Duro mesmo é quando o controle deixa cicatriz. O modelo brasileiro Márcio estava tranquilo dentro do tram, curtindo a paisagem milanesa, quando sentiu a pesada mão no seu ombro, seguido da famosa frase:

— Biglietto, prego!

Sem bilhete, Márcio ficou desesperado e largou em disparada. Para sua surpresa, o guardinha foi atrás dando um chute na perna de apoio do menino, fazendo-o cair de joelho, quebrando o fêmur. O Estado pagou toda a despesa hospitalar e seu tratamento, mas, como ele não tinha visto de trabalho, não recebeu a soma exorbitante da multa – mesmo Márcio estando errado, o guarda não poderia ter sido violento. O caso poderia deixar sequelas no corpo de Márcio, como uma perna mais curta, encerrando sua carreira de modelo. Correr do sistema do bilhete e fazer casting dá fome, não? Na hora do armário vazio e o bolso mais ainda, o jeito é orar – e entrar na fila da sopa!

Perto da Piazza Tricolore, vizinha do Corso Corcordia, ninguém passa fome. Diz a lenda que o primeiro modelo a raspar o tacho por lá era um rapaz polonês – que não era assim tão bonito, mas enganava em alguns castings. Como os brasileiros descobriram não sei, deve ser o faro para eventos gratuitos – não falam que de graça até se pega ônibus errado?

"Una mano all'uomo tutti giorni". Uma mão estendida ao homem todos os dias. A frase não tem julgamentos. Não diz que a mão está estendida apenas aos feios, aos moradores de rua, aos ciganos e aos menos favorecidos. Por isso não me assustaria ao encontrar, no meio dos maltrapilhos na fila da igreja, meninos com tênis da Prada, lindos, com cara de quem chegou da academia direto pra sopa! Era só levar o passaporte para fazer o cadastro, ganhar a carteirinha disputada principalmente por imigrantes romenos e poloneses e entrar na fila com direito a sobremesa. Os meninos falavam que a comida não era das piores e quebrava um galho – mas, depois de algum tempo, dava um sentimento de culpa. Afinal, as vagas eram poucas e para cada refeição feita lá era um cutucão na consciência de que estava tirando o lugar à mesa de alguém que realmente necessitava de ajuda.

Onde os coelhos não têm vez

Faltava um mês para expirar meu bilhete de volta. Nenhuma opção de trabalho à vista. Já nem contava mais o tempo do último trabalho realizado; me contentava em saber que ainda tinha uma pequena quantia de dinheiro na lista das entradas futuras no meu extrato da agência de Londres. A quantia ainda não depositada pelo cliente era o equivalente ao meu aluguel do apartamento de modelos, e, como me restava um mês na cidade, resolvi correr para uma segunda alternativa: um segundo emprego.

Fui da contabilidade para a mesa de bookers, perguntando de um em um se alguém sabia de um terceiro que talvez precisasse de uma babá, diarista, garçonete... Foi um não seguido de outro. Na ponta da mesa, loura de cabelos secos e lisos, sentava-se a dona da agência, Carole White. Ela não entendeu tamanha urgência em conseguir um bico. Contei sobre minha frustração em voltar para o Brasil com os bolsos vazios: faria qualquer coisa para aquele dinheiro não ser comido pelo aluguel. Carole, que morava na porta ao lado do apartamento de modelos em Maida Vaile, não sei se estrategicamente ou por acaso, me contou que seus filhos tinham um coelho de estimação e que ela tinha dificuldade em encontrar alguém para cuidar dele nos fins de semana em que a família White partia para o countryside britânico. Como uma mulher de negócios, disse que se a partir daquele dia eu cuidasse do bicho ela não me cobraria o aluguel. Para ela, uma modelo do meu porte não deveria trabalhar por aí de babá ou empregada doméstica. Achei a proposta justa e bem-vinda. Dei meu melhor sorriso e um aperto de mão e aguardei o sábado chegar para botar minhas mãos na gaiola.

Me foi entregue um coelho de pelo branco e olhar vermelho arteiro, fechado na gaiola onde sua maior diversão era rodopiar atrás do rabo. Olhei com certa benevolência para aquele que me salvaria do aluguel, decidi ser sua melhor amiga e lutar para que nunca lhe faltasse uma cenoura. Foram quatro fins de semana de amor materno – o coelho da Alice, o coelho da Mônica, o Arnaldo Cezar Coelho e até o Coelho da Fonseca morreriam de inveja do tratamento vip que dei ao mister rabbit. Chegada a hora de voltar pro samba, feijão e caipirinha, deixei um mini bilhete para o senhor coelho dentro de gaiola, agradecendo por não ter fugido nem ter mordido meus dedos. Como coelhos não sabem ler, tinha certeza de que ele havia sentido o que eu tinha escrito porque, logicamente, deve ter comido o papel.

Semanas depois, já em terras tupiniquins, passei na minha agência de São Paulo para a booker Milena ligar para a agência londrina cobrando o dia do depósito. Para minha surpresa, o senhor da contabilidade da Premier informou que o dinheiro que entrou foi direto cobrir meu aluguel. Fiquei irritada, mas me acalmei: talvez Carole tenha esquecido de avisar à contabilidade do acordo mamífero da família dos leporídeos. Expliquei toda a história do coelho para Milena, que compreensivelmente, escreveu um e-mail para Carole cobrando a devida explicação. A resposta foi curta e direta: "Sorry, there was no bunny agreement". Como assim não tinha acordo? Pernalonga, Ricochete, Frank! Naquele momento mandei todos os coelhos para o inferno. Pra acalmar minha ira resolvi ler um livro.

Seriam tão tediosas as esperas entre um casting e outro, entre um avião e outro, entre um desfile e outro sem eles: os livros. Ao sair de casa, aprendi a ler outras coisas além de Agatha Christie e Paulo Coelho (coelhos me perseguem). A modelo Irina Lazareanu, que tinha feito minha iniciação na escrita, me emprestou o livro *The night torn mad with footsteps*, de Charles Bukowski. Dentro, encontrei um poema que identificou minha revolta: "Para as raposas". Curti as palavras do velho bebum com muito carinho e fiz delas minha base para reivindicar o que era de fato meu, e escrevi a carta de maior indignação de minha vida.

Dear Carole White,

Não sinta pena de mim, que sou um ser humano competente; porém, hoje, insatisfeito. Sinta pena dos coelhos, que, mesmo irritados, não têm como reclamar. Quando recebi sua palavra, tomei como uma assinatura em um acordo. Confiei em você da mesma maneira que você me confiou seu coelho. Aqui, à distância, só me resta confirmar o quanto estou indignada. Este dinheiro, talvez insignificante para você, irá me fazer falta. Não sei até onde isto vai interferir na minha cenoura de cada dia, mas, com toda certeza, fica um vazio na sua confiança. Porque o que mais tenho de valor é a minha palavra.

MICHELLI PROVENSI

Afinal, se não fosse a história do coelho, eu teria arrumado um outro emprego. Em contrapartida, a modelo Flavia Lucini não esperou por nenhuma ajuda da fauna. Quando se viu no aperto, não hesitou em pedir emprego ao mineiro dono do restaurante a quilo que ela frequentava na Oxford Street. Por um curto período, até conseguir dinheiro para voltar para o Brasil, trabalhou das 10h às 16h30, ganhando 3 libras por hora. Como ainda não falava inglês, limpava as mesas e lavava os pratos. Em Nova York e Milão a modelada quando se vê sem dinheiro trabalha de modelo-enfeite nas lojas da marca Abercrombie e Fitch, ganhando 8 dólares por hora. É só vestir um jeans e uma camiseta da marca e ficar dando pinta na loja; os meninos que toparem tirar a camisa e ficar só de calça jeans ganham um bônus de 100 dólares por diária.

Algumas meninas trabalham de recepcionistas em restaurantes; outras optam pelo mais arriscado e menos confortável trabalho de escort girl – acompanhantes de luxo. Não tem sexo; apenas acompanham jantares, principalmente de negócios. Uma modelo que conheci da Lituânia tirava até 2.000 euros por noite como escort girl – seu cliente mais assíduo era um homem de negócios que não queria que seus colegas de trabalho descobrissem que ele era gay.

Garçonete, barman, segurança de sala de desfile... são inúmeros os bicos que modelos encontram pelo mundo afora. Quando tem trabalho na moda, fique feliz; quando não tem, coloque a imaginação e os contatos para funcionar, arrumando outra coisa para fazer no tempo livre. Se não der, faça a linha econômica. Muitas meninas ganham uma grana nas primeiras temporadas e acham que vão velejar naquele mar de dinheiro para sempre. Toda modelo tem que estar bem vestida: um sapato e uma bolsa legal fazem parte do look, é um investimento. Porém muitas vão lá e compram a it bag e o it sapato toda estação, nem esperam a promoção e, chegada a hora da estacionada, chegam com o guarda-roupa cheio e a geladeira vazia. Trabalhamos com moda; temos de nos adaptar a ela, mas com bom senso. Há várias maneiras de consumir moda sem comprometer seu orçamento – é só ter cautela.

Quando quase me acostumei com a ideia de ter meu orçamento comprometido pela minha estada em Londres, Milena me ligou dizendo que a agência londrina tinha voltado atrás e depositado meu dinheiro. Mudei de agência em Londres e nunca mais comi carne de coelho.

A hora de voltar pra casa

Era fácil saber a hora de mudar de país. Infalível premeditação, um certo mistério: o término dos cosméticos. Meu xampu terminava, o condicionador também, o demaquilante secava, o sabonete descia pelo ralo. Não comprava para repor, comprava uma passagem para mudar de lugar. Deslocar, trocar, substituir um país por outro – isto eu sabia fazer. E agora, voltar pra casa de vez, como faz?

E o medo, a insegurança? Quanto tempo teria ainda até minha cútis não agradar mais? O que fazer? O que sei fazer para me encher os olhos e o bolso? Como deve ser bater o cartão de firma? Como fazer o tempo passar sentada o dia todo atrás de uma mesa? E o Enem, será que tenho que fazer este negócio para poder estudar depois?

Perdia tudo o que era palpável sem culpa, sem choro: tudo, menos o passaporte. Este sim era guardado como um tesouro. O poder de ir e vir. Se estourasse uma guerra, era dele que precisaria para voltar pra casa, não importava o caminho. No fim do dia, todo mundo quer voltar para onde mora a saudade, onde não te julgam, onde você é mais um dentro de uma grande ou pequena família.

Me perguntavam sempre: "Como faz tão novinha sozinha no mundo? E se acontecer alguma coisa?". Todo dia acontecia "alguma coisa" e eu não tinha meu superpai guardado no bolso para me defender de algumas situações – mas tinha coragem de entender o que acontecia e a fé, herança de todo brasileiro.

Tóquio, sexta-feira, 11 de março de 2011, 14h46. Tudo o que Patrícia Locks queria era voltar pra casa. A paranaense fotografava um editorial num estúdio longe do centro de Tóquio. Quando entendeu o cumprimento de final de trabalho, "Otsukaresama deshita", ligou para sua booker Toshi pedindo para ir buscá-la. Quando desligou o telefone, foi vestindo o casaco e sentiu as paredes do estúdio balançarem de leve. No reflexo, pelo temor de todas as histórias que tinha escutado antes, percebeu que se tratava de um terremoto. Sua primeira reação foi gritar para o maquiador: "earthquake, earthquake!".

Mas ele não entendeu. Toda a equipe só foi perceber o que a modelo estava dizendo quando as paredes voltaram a balançar, desta vez parecendo feitas de plástico. As lâmpadas dançavam de um lado para o outro, o computador em cima de uma mesa com rodinhas passeava pelo chão. Patrícia, agora compreendida por todos, continuava a gritar "terremoto, terremoto" e saiu relampejando para fora do estúdio com aqueles chinelinhos que os japoneses usam pra ficar dentro de casa. Todos tiveram a mesma reação – mas, na rua, a situação não era melhor. Casas, carros, fios elétricos balançando sem parar. Patrícia queria abrir os olhos e sair daquela sala de cinema, parecia que a qualquer momento abriria uma fenda enorme na terra e o mundo acabaria. Tudo em dois intermináveis minutos. Abraçou a estilista do trabalho e as duas fizeram o mesmo pedido: se a terra parar de tremer, eu também paro.

Quando parou, todos os olhares refletiam medo, confusos, sem entender ao certo a gravidade da situação. Quinze minutos depois, sua booker, Toshi, chegou com o rosto pálido, mostrando aquela expressão de espanto que os japoneses fazem – ela também não estava entendendo nada. Toshi buscava Patrícia, pois a modelo tinha mais um casting e um fitting de desfile. No caminho para o casting de Yukiko Hanai, sentiram vários outros tremores pequenos. Para ter certeza, ficavam em silêncio olhando os semáforos balançarem como sinos. Todas as pessoas se encontravam nas ruas, evacuaram escritórios, casas e a maioria portava um capacete branco. O desespero era geral para ter notícias dos queridos, mas as linhas permaneciam congestionadas.

Chegaram ao lugar do casting se deparando com o óbvio: o vazio. Toshi resolveu voltar para a agência, pegando um trânsito de juízo final – marginal Tietê em véspera de feriado prolongado com cinco acidentes na pista. Todos já estavam lá; modelos, managers e bookers se revezavam para olhar as notícias na internet e as tristes imagens do tsunami. Parecia mentira: tanta dor só podia ser ficção. Patrícia mandou um e-mail para seus pais explicando que estava bem, pois sabia que sua mãe, ao acordar, ligaria a televisão e teria um piripaque. Todas as meninas levantaram acampamento seguras. Patrícia foi dormir na casa da paulista Renata Sakamoto, que estava no Skype com a também paulista Carol, moradora de outro bairro de Tóquio. Como Carol falava japonês, estava por dentro das últimas informações, e, angustiada, mandou as meninas correrem para comprar mantimentos a pedido da TV japonesa, que alertava: ninguém sabia o que estava por vir. Foi um sacrifício encontrar comida. Passaram de conveniência em conveniência, mercado em mercado; as prateleiras já se encontram parcialmente vazias. Hotéis e salas de karaokê foram alugados por pessoas que não moravam em Tóquio e dependiam de metrô e trem para voltar para casa. Nada funcionava.

As cinco noites e dias após o terremoto foram um pesadelo para Patrícia. Todos os dias sentia réplicas de terremotos menores; nas madrugadas acordava assustada, com o coração batendo na velocidade de uma cheetah, e chorando feito em final de novela. Nas ruas era visível a preocupação dos japoneses, e como normalmente eles não demonstram muito este tipo de sentimento, Patrícia ficou mais apavorada ainda. Havia ainda o temor de que a usina de Fukushima explodisse de uma vez. Tirando a imprensa de outros países, que alarmava ainda mais os estrangeiros. Acessar os portais de internet e ver que tinha 70%

de possibilidade de acontecer um outro terremoto na mesma magnitude só fazia a ânsia de partir aumentar.

Afinal todos os desfiles da semana de moda de Tóquio foram cancelados e as agências mandaram as modelos embora. Patrícia chegou dez horas antes no aeroporto para ter certeza que embarcaria. Quando o avião decolou, saiu sem dinheiro no bolso – mas com o que tinha de mais valor, sua vida.

Nas margens do check-in da TAM eu sentei e chorei

Há vezes que a escolha inexiste: mesmo querendo ficar, te mandam pra casa. Perguntem à modelo Letícia, deportada duas vezes na tentativa de ir trabalhar na Europa. Uma vez por erro de comunicação e a outra porque simplesmente não a avisaram que tinha que levar dinheiro na viagem. E aeroporto é uma coisa estranha, com gente de fala mecânica e um tempo que te deixa perdido, espremido em algum fuso horário.

Deus só pode ser brasileiro. O coitado do europeu, mesmo depois de ter passado por todas as guerras e revoluções, só pode carregar duas malas de 22 quilos. Já nós, brasileiros, podemos viajar internacionalmente com duas de 32 quilos. Mesmo assim eu tinha que chorar no check-in. Modelo tem que viajar com as quatros estações na mala, com aquela produção toda da hora do casting. É mais sapato que o previsível, mas é necessário.

Toda viagem vai surgindo uma comprinha, uma barganha que não dava para perder, um vestido de brechó que nunca mais iria encontrar, os cachês pagos em roupas, fora os presentes – e eu ainda carregava minha bicicleta. E o Oscar para melhor interpretação no aeroporto vai para... Michelli Provensi, por *Nas margens do check-in da TAM eu sentei e chorei*.

Nada me fez chorar tanto quanto as companhias aéreas. No começo tentava sempre pegar homens no check-in para usufruir do meu poder feminino de charme de milhagens. Mas hoje tem muito gay, e gay adora trabalhar no sistema aeroviário, gay adora ser poliglota, e aeroporto tem gente falando tudo que é língua. A mãe de uma amiga fotógrafa tem um amigo piloto, gay, que fala mais de 20 línguas e alguns dialetos. Não sei mais dizer quem é gay ou não, e pra não dar furo passando cantada na pessoa errada, minhas vítimas nos últimos anos de viagens eram sempre as mulheres.

Primeiro, é essencial olhar o nome no crachá da moça do check-in. Um sorriso e um boa tarde: "Rosilei? Tenho uma prima com o mesmo nome!". Elas nunca iam checar minha árvore genealógica e a história da prima já dava um clima de proximidade na conversa. Se o voo era de volta pro Brasil, a tática era outra. "Felicity! Que nome lindo, é de algum filme?". Daí engatava que meu nome não tinha nada a ver com o da atriz Michelle Pfeifer: o meu Michelli com um i no final. Tudo olhando fixo nos olhos delas para que minhas malas passassem despercebidas. A hora que a bicicleta emperrava na esteira e a atendente olhava para os quilos na balança com ar de reprovação, entrava em ação toda a minha escola de cinema. "Não sabia que estavam tão pesadas! Devem ser os presentes para minha família... Nossa, trabalhei tanto para comprar..." Chorava e contava minhas aventuras com a bicicletinha. Só uma vez paguei pelo tal excesso de bagagem.

Muitas meninas voltam para casa deixando pra trás dívidas nas contas de agência. Ficam sem ânimo para trabalhar e ver o dinheiro seguir para cobrir dívida de visto, composite, aluguel, passagem aérea. Em Londres, uma modelo australiana, sem dinheiro para pagar o quarto do hostel, jogou a mala pela janela de trás e fugiu pegando um trem para Paris. Em Hong Kong são muito os meninos que chegam, esticam a passagem até ela expirar, e depois não têm dinheiro para comprar outra de volta. Às vezes ficam três anos sem voltar pra casa.

*

Em todas essas histórias existe a frequente má administração de dinheiro. Outra coisa que todo modelo deveria ter desde o início da carreira: educação financeira. Admiro as modelos que conseguiram parar numa boa. Essa coisa de viagem a toda hora é um vício, como se tivéssemos um alarme na bunda que dispara toda vez que nos sentamos em algum lugar. Paris é meu quintal e a casa da sogra fica ali ó, pertinho, no interior da Paraíba. Dava para comprar uma casa na praia sonhada com o tanto que se gasta de passagem.

Voltava pra casa: casa do pai, da irmã, do irmão, da tia, onde tinha um pedacinho de amor de família era casa pra mim. Ficava uma semana e já me dava uma ferroada de saudades de me perder pelo mundo. Mesmo distante, queria ir mais longe, meus pés eram loucos por terra nova. Em novembro de 2010, depois de uma temporada em Londres, convenci minhas amigas de Paris a aproveitarmos o acordo que o Brasil tinha feito com a Rússia, possibilitando nossa entrada no país sem visto, para dar um pulo em São Petersburgo. Acredito que as russas – que precisam de visto para tudo, menos ir ao banheiro – ainda não descobriram este pacto, do contrário estariam enchendo as passarelas da São Paulo Fashion Week. Depois de sentir muito frio pelas ruas do *Crime e castigo* e me perder nos corredores do Hermitage, dei uma parada em Paris para procurar uma nova agência. A minha anterior tinha me mandado embora sem ao menos mandar um e-mail.

Algumas agências reclamaram da minha idade. Tive que ter pulso para informar um senhor que era um insulto chamar uma mulher de 25 anos de velha: deveria dar cadeia, imagina como se sente a mãe de um ser como este? Na última agência que visitei, gostaram muito do meu perfil. O booker, já grisalho, com cara de que viu Cindy Crawford e Ângela Lindval em tempos de new face, muito atencioso me questionou:

— Na sua idade e com sua experiência, você não tem mais tempo a perder. O que realmente quer fazer?

A pergunta me tocou o coração, deu uma parada no tempo. Vi o filme de todos os meus anos como modelo surfarem na minha cabeça. Como o reflexo de um lutador de kung fu, nem senti o som saindo da minha boca:

— Quero falar de futebol!

Fez uma cara de que tinha dito "quero limpar o banheiro da sua casa". Sorri, porque também fui pega de surpresa, também não sei por que falei aquilo.

— Isso mesmo, quero falar de futebol: você consegue algum emprego do tipo pra mim?

Ele riu e até desistiu de tirar minhas polaroides. Disse que o que ele poderia fazer era me vender para desfiles. Agradeci, peguei meu book de volta:

— Acho que dar voltinhas em Paris já deu.

Não pensem que me aposentei. Só percebi que estava na hora de criar base em algum lugar: ter um guarda-roupa, um lugar para deixar a vitrola que ganhei do meu pai. Já sei como é andar pelo mundo – e foi São Paulo que escolhi para ter um lar.

Modelo = canivete suíço

Tanto a modelo como o jogador de futebol têm uma carreira que pode durar em média uns 15 anos – se houver disciplina, bons contratos e principalmente se o físico aguentar, já que vivemos de desempenho e aparência. É difícil, tanto para o jogador como a modelo, parar para estudar no auge da carreira, que são os primeiros cinco anos. Porém é importante ser autodidata em algumas coisas. Não é porque largamos a escola que o aprendizado tem que ser deixado guardado no armário, tal como o antigo uniforme escolar. Não é à toa que modelos e jogadores de futebol são com frequência tachados de burros: há sim uma grande lacuna de interesse em aprender sobre assuntos fora da moda e do esporte. Tem modelo com quem convivi que não sabia quem foi Hitler...

Jornalistas tendem a reclamar das entrevistas pós-jogo dos atletas do futebol: alguns usam a origem pobre como muleta. No entanto, depois do sonhado bom contrato com um grande clube, dá para pagar ao menos um professor de português. A crítica pode dizer: ele não precisa falar, precisa jogar bem; ela já é linda, não precisa abrir a boca! Não, não é para ser assim, não é isso que queremos passar. Quantas pessoas tocamos por dia através de lindas imagens e belos passes? E aquela menina que sonha em ser modelo, o gurizinho que sonha em ser jogador de futebol, eles sonham em ser chamados de burros, de serem julgados como fúteis? Não; eles sonham com as coisas boas que as duas carreiras podem oferecer, com o brilho, com as viagens, com a melhoria de vida que as elas podem proporcionar, sonham em ser admirados.

É bom viver este sonho, porque ele faz crescer, te faz amadurecer cedo, ele te ensina a ser autocrítico, a dar valor à família. Ninguém falou que seria fácil, mas cada conquista tem um sabor diferente, único. Um campeonato dificilmente se repete com o mesmo elenco; se você fez parte do desfile da Prada, fez história, orgulhe-se disso. E quando o joelho não aguentar mais, o Photoshop não der mais conta de aliviar as marcas da idade, tudo bem, outras portas se abrirão. Muitas virão disfarçadas de janelas, outras quase como passagens secretas em que é preciso empurrar um tijolo. Os caminhos não são óbvios; basta prestar atenção ao seu redor e as oportunidades surgirão. Nada de ficar encostado: tem que fuçar também – Deus ajuda a quem se ajuda.

Na terra de alguns de meus colegas deu pra fazer uma horta de estudos ao lado do vasto campo de trabalho. Tanara Burin se desloca entre castings, trabalho e a faculdade de

Publicidade, Carol Bernardi não quis largar Paris e começou a estudar História da Arte por lá mesmo. Tamanha foi minha surpresa ao me contarem que o modelo Thiago Nouer, o arrasa-corações dos meus tempos de new face, virou médico anestesista do hospital Albert Einstein. Outro dia cruzei na avenida Paulista com o ex-modelo Mauricio Bohac: ganhou outra postura, todo engravatado no terno, que não era emprestado pra foto. Sorria-me orgulhoso, apontando o prédio do banco em que trabalhava. Juliana Brescovicci, catarina da distante São José do Cedro, virou professora de yoga e meditação; Amanda Miranda é nutricionista e triatleta; Helena Rizzo é a chef de cozinha do Mani; Carla Bruni, cantora – todos ótimos modelos como ex-modelos. Sem falar nos tantos que brilham na TV, como Fernanda Lima, Aline Moraes, Victor Pecoraro, Cauã Reymond...

Muitos modelos entraram para a fotografia; cada trabalho é um estágio gratuito para um olhar curioso. Emanuela de Paula e Jéssica Pauletto conseguem levar bem as duas carreiras ao mesmo tempo e, aos poucos, o hobby virou profissão. Palloma Dreher, que nas folgas dos castings rabiscava cadernos, já sabe bem que seu caminho é ser pintora, mas, como Jéssica e Emanuela, ainda trabalha de modelo – o mercado precisa delas e é bobeira parar quando o fluxo de trabalho é grande.

O normal de uma carreira de modelo é mais hotel céu nublado do que cinco estrelas. Mais nãos do que sins. Não sei direito onde eu queria chegar, o certo é que longe; e pra quem não sabia o destino pouco importava o caminho. Deveria ter tido mais paciência? Talvez. Teria faltado a menos castings, talvez. Teria ido ao request do Tom Ford, talvez. Teria cuidado mais do meu corpo, com certeza.

A consciência que tenho agora diz que se eu soubesse o tamanho da passarela desfilaria diferente. Para entender onde me encaixava, onde meus sonhos engrenavam e tapar o buraco do mundo imaginário que vislumbrava quando pequena, eu precisava rodar o mundo. Este ano não fui a Paris nem a Londres nem a Milão nem a Nova York. Ficaram saudades na mala, mas São Paulo me mostrou que é melhor que os arredores da rodoviária do Tietê – e me deu um guarda-roupa. O cabide e meu coração se acalmaram, mas a mala está ali no canto. Se o mundo chamar, eu volto. Afinal, já sei o caminho.

BLURBS

"Conheço Michelli Provensi desde o início da carreira de modelo. E pude me certificar, ao longo do tempo, que ela é uma profissional dedicada, responsável e inteligente, capaz de superar as expectativas de seus contratantes."

Biti Averbach,
editora de moda da revista *Quem Acontece*

"Trabalho com moda há mais de dez anos e posso dizer que tive o prazer de acompanhar a carreira da Michelli Provensi e seu desenvolvimento como modelo e mulher. Ela se tornou uma das profissionais preferidas de grandes estilistas, fotógrafos e stylists não apenas por sua personalidade doce mas por seu profissionalismo e sua habilidade de se transformar nas diversas personagens que caíam em suas mãos. Durante sua carreira, conhecemos suas várias porções: inocente, misteriosa, sexy, divertida, mulherão, básica, glamorosa e por aí vai. É uma das modelos com quem mais trabalhei, sempre a primeira opção e também uma das mais profissionais."

Camila Yahn,
jornalista/editora de moda

"A primeira vez que encontrei Michelli foi numa prova de roupa, dias antes do meu desfile. Ela colocou a roupa, e, como milagre, não havia nenhum ajuste a ser feito. Chamei-a de modelo perfeita. Acontece que, com o tempo e os trabalhos que fomos fazendo juntos, notei que muito, mas muito mais que proporcionais centímetros na fita métrica, a verdadeira perfeição está na sua inteligência. Brilhante sob medida!".

Rodrigo Rosner,
estilista da SPFW

"Seria injusto classificar Micheli Provensi apenas como modelo. Sim, porque, apesar do sucesso internacional em páginas de revista e passarelas das mais estreladas, Michi, como a conhecemos, foge totalmente ao estereótipo de cabide, como muitos insistem em rotular a maioria das garotas de sua profissão. Linda e versátil, é perfeita para sessões intermináveis de fotos, onde se espera o inesperado de quem está em frente às câmeras. Isso não se discute. Mas tem mais. Michi possui um je ne sais quoi, um algo a mais, uma sagacidade que nos faz querer tê-la como amiga, daquelas para bater papo, sentado, numa mesa de bar, discutindo política, futebol ou a última feira de artes. Tiradas inteligentes, raciocínio rápido e um intrigante dom para a escrita. Michi é curiosa, inquieta, diferente. É inevitável que isso passe para o personagem que encarna, dentro de histórias traçadas pelos editores de moda, em um editorial ou um desfile. Mais do que um rostinho bonito, Michelli tem personalidade para dar e vender. Traduzir suas experiências em livro seria, para nós, admiradores, um presente. Eu quero!".

Sylvain Justum,
jornalista de moda

Créditos das fotos

André Conti (Agência Fotosite) – 63

Arquivo pessoal – 3, 4, 5, 6, 7, 9, 10, 11, 12, 14, 15, 16, 17, 18, 20, 21, 22, 23, 24, 25, 26, 28, 29, 31, 33, 35, 36, 37, 38

Bruno Torturra – 73, 74, 75, 76, 77, 78

Charles Naseh – 54

Cristiano Madureira – 8

Debby Gram – 34

Felipe Gachido – 69

Filipe Jardim – 67, 70

Gui Paganini – 72

Ivan Abujamra – 13, 30

Marcio Del Nero – 2

Marcio Simnch – p.239, capa

Naty Passos e Jonathan Menezes – p.238

Paulo Reis – 40, 41, 42, 43, 44, 45, 46, 47, 48, 49, 50, 51, 52, 53, 56, 57, 58, 59, 60, 62, 64, 66, 68

Rogério Mesquita – 27, p.5

Simone Zanotto – 1

Tavinho Costa – 71

Zé Takahashi (Agência Fotosite) – 39, 55, 61, 65

VOGUE
BRASIL
Nathy Passos
Jonathan Menezes